W9-BSQ-629

# El proyecto y la metodología de la investigación

Correspondiente a Humanidades y Ciencias Sociales y a Ciencias Naturales

Roxana Cecilia Ynoub

2 - III    37-50
IV         5166

Prólogo de Esther Díaz

CENGAGE
Learning

CENGAGE
Learning

# El proyecto y la metodología de la investigación
Roxana Cecilia Ynoub

**Directora General**
Susana de Luque

**Responsable de producción**
Luciana Rabuffetti

**Dirección editorial**
Andrea Sverdlick

**Edición de desarrollo**
Marcos Mayer

**Dirección de Arte**
Adriana Llano

**Diseñadores**
Santiago Causa, Mariela Camodeca

**Corrección**
Sandra Pien

Ynoub de Samaja, Roxana
   El proyecto y la metodología de la investigación / Roxana Ynoub de Samaja; con prólogo de Esther Díaz. - 1a ed. - Buenos Aires: Cengage Learning, 2007.
   168 p.; 26x21 cm.

   ISBN 978-987-22665-7-8
   1. Metodología de la Investigación. I. Díaz, Esther, prolog. II. Título
   CDD 001.42

   Fecha de catalogación: 11/06/2007

Copyright D. R. 2008 Cengage Learning Argentina, una división de Cengage Learning Inc.
Todos los derechos rerservados. Cengage Learning™ es una marca registrada usada bajo permiso.
Rojas 2128. Ciudad de Buenos Aires, Argentina. Te: (54 11) 4582 0601.

Para mayor información contáctenos en www.cengage.com.ar

## División Iberoamérica

**Cono sur**
Rojas 2128
(C1416 CPX) Buenos Aires Argentina
www.cengage.com.ar

**Pacto Andino**
Carrera 90 # 17b-39 BODEGA 27,
Bogotá Colombia
www.cengage.com.co

**México y América Central**
Corporativo Santa Fe 505 piso 12
Col. Cruz Manca, Santa Fe
05349, Cuajimalpa México, DF.
www.cengage.com.mx

**El Caribe**
Metro Office Park 3 BARRIO CAPELLANIA.
Suite 201 St. 1 Lot. 3 Code 00968-1705
Guaynabo, Puerto Rico
www.cengage.com

Queda hecho el depósito que marca la ley 11.723
Libro editado e impreso en la Argentina
Printed in Argentina

Queda prohibida la reproducción o transmisión total o parcial del texto de la presente obra bajo cualesquiera de las formas, electrónica o mecánica, incluyendo fotocopiado, almacenamiento en algún sistema de recuperación, digitalización u otros métodos, sin el permiso previo y escrito del editor. Su infracción está penada por las leyes 11.723 y 25.446.

# ÍNDICE

*A mis hijos,*
*Manuel y Rosalba,*

*y con ellos, y desde ellos,*
*a la causa del amor*
*que me unió a su padre.*

**Roxana Cecilia Ynoub.**

Doctora y Licenciada en Psicología. UBA.

Profesora Titular Regular. Introducción a la Investigación Psicológica, en la Facultad de Psicología. Universidad Nacional de Mar del Plata.

Profesora Adjunta Regular. Metodología de la Investigación Psicológica, en la Facultad de Psicología. Universidad Nacional de Buenos Aires.

A cargo de la Dirección del Doctorado en Ciencias Cognitivas, en la Facultad de Humanidades de la Universidad Nacional del Nordeste.

Docente de posgrado en maestrías y doctorados de diversas universidades nacionales.

Investigadora Categoría II (Ministerio de Educación de la Nación).

Directora de diversos proyectos de investigación en Universidades Nacionales y organismos internacionales.

**Contacto: rynoub@psi.uba.ar**

# Agradecimientos

En primer lugar deseo agradecer a la Dra. Esther Díaz. No sólo recomendó mi nombre para la realización de este trabajo, sino que, de manera totalmente desinteresada, siguió de cerca la escritura leyendo los manuscritos con dedicada atención. Sus sugerencias y recomendaciones contribuyeron, sin duda, a la mejor calidad del material resultante. En ese intercambio, tuve la ocasión de conocer aún más a la profesora Esther Díaz –y confirmar lo que ya intuía por nuestra relación en ámbitos académicos–: su enorme generosidad, la pasión con que asume su trabajo y la profunda vocación que motiva su magisterio.

Agradezco también a la coordinadora de este proyecto editorial, la licenciada Andrea Sverdlick. La profesionalidad con la que condujo la tarea, me brindó en todo momento la vivencia de contención y confianza para la escritura. Disfruté además de su calidez y sensibilidad humana en cada encuentro de trabajo que mantuvimos.

El agradecimiento se hace extensivo a Marcos Mayer y al resto del equipo editorial, especialmente a las profesionales de diagramación y diseño. Todos ellos tuvieron la difícil tarea de contribuir a hacer más ágil y accesible la lectura del libro.

En este escrito se vierten gran parte de los aprendizajes cosechados en casi veinte años de trabajo en el campo de la metodología de la investigación científica. De modo que un agradecimiento aparte merecen los alumnos –de los muy diversos cursos de grado y posgrado- que, con sus comentarios, sus dudas, sus aportes, han contribuido a mi propio aprendizaje.

En ese largo recorrido he tenido la suerte de estar acompañada por un gran maestro, *un amante de la ciencia y la enseñanza*, como lo fue el profesor Juan Samaja.

Con él he compartido muchísimos espacios de docencia y de investigación. De modo que todo lo que haya de acertado en esta obra, se lo debo a sus enseñanzas. Esta aclaración es especialmente importante, porque la mayor parte de los conceptos que desarrollo se inspiran en su concepción metodológica.

La vida quiso que me unieran a Juan Samaja otras pasiones: entre ellas la de nuestros dos pequeños, Manuel y Rosalba a quienes dedico este libro.

También la vida lo alejó de nosotros hace muy poco tiempo, de modo que el libro se gestó en el dolor de su ausencia. Precisamente por ello, constituye un modesto pero objetivo símbolo del compromiso que tengo con las causas que me unieron –y me unen– a ese ser excepcional con el que tuve la dicha de compartir el camino.

# PRÓLOGO

## EL HILO DE ARIADNA

Esther Díaz (*)

El Minotauro se arrastra por los recovecos de su cárcel que es palacio y guarida al mismo tiempo. Tiene hambre. Araña los muros. Ninguna de sus víctimas ha logrado escapar del enjambre endemoniado de sus pasillos. Pero el hombre-toro hace mucho que agotó sus reservas y en su obligado aislamiento no hay seres vivos con qué saciar su hambre descomunal. No obstante, espera confiado. Su olfato le indica que se acerca el fin del ayuno.

Efectivamente, en la entrada de su fortaleza los sacerdotes cretenses preparan víctimas expiatorias para ofrecerle. Entre los condenados se destaca un joven aguerrido y hermoso. Es ateniense y se llama Teseo. Un conjunto de soldados, vírgenes consagradas y curiosos rodean al elegido. Antes de enviarlo a los dominios del Minotauro, el joven es coronado con cintas multicolores y su cuerpo es untado con bálsamos aromáticos. Un grupo de jovencitas cumple con el ritual del sacrificio. Esparcen flores alrededor del muchacho cuya presencia las inquieta. Ninguna se atreve a levantar la vista salvo Ariadna, la hija del rey de Creta, quien se ha enamorado del ateniense desde el momento mismo en que lo conoció. La presencia del enemigo de su padre desata en ella un huracán de amor. Se propone salvarlo, imagina una estrategia y procura los medios para realizarla. Durante la ceremonia se acerca a Teseo y mientras simula cumplir con los ritos deposita un ovillo de hilo en su mano. Se miran.

Más tarde, Teseo es empujado hacia el encierro. Cuando lo dejan solo asegura un extremo del hilo de Ariadna en una piedra junto a la entrada. Luego desenvuelve el ovillo mientras camina con la serenidad que le produce tener el regreso garantizado. Busca, enfrenta y vence al Minotauro. Se toma un respiro y, alentado por sueños de libertad, accede finalmente a la salida del laberinto. Un halo de luz parece envolverlo, surge triunfante desde la oscuridad. Su rostro trasunta la alegría del obstáculo superado y del enigma resuelto. Un largo hilo pende de sus dedos y se pierde entre el claroscuro de las rocas.

A partir de este relato mitológico podríamos asimilar la investigación científica a un laberinto y lo desconocido, a un monstruo amenazante. Este libro de Roxana Ynoub nos conduce –como el hilo de la princesa cretense- a través de las vicisitudes de la metodología y las incertidumbres del saber. Penetraremos así en los requisitos de la investigación y podremos regresar con la alegría de haber vencido. Porque a veces lo desconocido nos parece monstruoso, pero en la medida en que vamos despejando las dudas, experimentamos el placer de la victoria. De modo tal que, casi sin darnos cuenta, al dejarnos llevar por la lectura vamos construyendo conocimiento como quien *hace camino al andar*.

(*) Esther Díaz es Doctora en Filosofía por la Universidad Nacional de Buenos Aires; directora de la Maestría en Investigación Científica y del Centro de Investigaciones en Teorías y Prácticas Científicas, de la Universidad Nacional de Lanús. También es directora de la revista *Perspectivas metodológicas*. Entre sus numerosas publicaciones se destacan *Para seguir pensando, La sexualidad y el poder; La ciencia y el imaginario social; Metodología de las ciencias sociales; La posciencia. El conocimiento científico en las postrimerías de la modernidad y Entre la tecnociencia y el deseo. La construcción de una epistemología ampliada.*

No obstante, nadie se lanza a los caminos sin buenos motivos para recorrerlos. Y en el caso de la ciencia, siempre el desencadenante es algún problema teórico o práctico. Por ejemplo, el anegamiento de las minas subterráneas como consecuencia de las lluvias copiosas comenzó a ser un problema para los empresarios mineros del siglo XVII, pues al no contar con sistemas de absorción de agua, había que suspender el trabajo por largas temporadas luego de cada tormenta. Había un remedio provisorio a la situación: introducir en el foso de la mina un largo tubo, en cuyo interior operaba un émbolo que, presionado hacia arriba, lograba que se elevara el agua acumulada, permitiendo así desagotar las galerías. Pero si se trataba de minas profundas y el tubo medía más de once metros, el agua no ascendía.

Ante esa situación aparentemente irresoluble, el joven científico italiano Evangelista Torricelli tuvo una idea. Supuso que el aire "pesa" y que su peso sería equivalente a la altura alcanzada por el agua entubada. A continuación se propuso poner a prueba su hipótesis. Realizó una comprobación empírica sosteniendo con una mano un tubo de un metro de largo que cerró con un dedo y lo invirtió introduciéndolo en un recipiente con mercurio. Al retirar el dedo comprobó que el mercurio del recipiente descendía, mientras subía por el tubo hasta formar una columna cuya altura era catorce veces menor a la que se obtenía al realizar el mismo experimento con agua.

El científico sabía que el mercurio es catorce veces más pesado que el agua. Infirió entonces que ambas columnas de líquido estaban soportadas por igual contrapeso, concluyendo que el aire hacía fuerza sobre el líquido del recipiente (y del agua de la mina). Constató así que en ciertas circunstancias la presión del aire influye sobre los líquidos. Descubrió la *presión atmosférica*.

Es conveniente no perder de vista que si Torricelli logró enunciar y convalidar su hipótesis fue, entre otros motivos, porque tenía amplios conocimiento de física (fue discípulo de Galileo), se preocupó por imaginar soluciones posibles y se procuró medios adecuados para contrastar su hipótesis empíricamente. Es decir, estableció relaciones, construyó conceptos y los sometió a experimento.

Consideraciones de este tipo son propias de la epistemología, una rama de la filosofía que reflexiona sobre las características del pensamiento científico y la validación de sus métodos. Pero el análisis y desarrollo de los complejos requisitos de esos métodos es propio de la metodología, otra rama de la filosofía que estudia los procesos indagativos y proporciona los medios necesarios para diseñar investigaciones. La epistemología se ocupa de la construcción y los fundamentos del conocimiento científico, mientras que la metodología aborda ese conocimiento desplegando procedimientos de descubrimiento o innovación. La mayor parte de este libro gira alrededor de estos procedimientos, pero ofrece también una valiosa introducción a la epistemología.

Antes de encarar el núcleo metodológico, Roxana Ynoub ofrece una reflexión epistemológica sobre los diferentes niveles del proceso de conocimiento. Traza para ello una génesis histórica que comienza con el despertar del saber sobre la *vida*, un proceso en el cual los sujetos fueron comprendiendo el accionar de la *conciencia*, que no sólo sabe acerca del objeto que capta sino que también sabe sobre sí misma (saber que se sabe). En ese proceso y con el paso del tiempo, se fueron organizando *comunidades* que daban cuenta de la realidad valiéndose de *mitos*. Mucho después, en un estadio más elaborado, surgió la ciudad como configuración política -*polis* griega- mientras se inventaba y desarrollaba la *filosofía*. Y en un cuarto y último nivel se constituyó el *Estado* moderno, que es contemporáneo a la consolidación de la *ciencia* físico-matemática. Con argumentos sólidos, el libro establece la relación entre diferentes modos de ser en el mundo y determinadas maneras de interpretar (o conocer) la realidad. "Dime cómo vives y te diré cómo investigas", dice la autora.

La bisagra que articula la epistemología y la metodología es justamente la noción de método. A partir del segundo capítulo de este libro se accede a la especificidad metodológica, teniendo en cuenta tanto el significado de los términos como su uso en un proceso de investigación. Pues nos apropiamos del sentido de los términos en la medida en que los utilizamos con éxito. El lector que accede a nociones metodológicas y descubre la manera de aplicarlas capta la significación y la función de esas nociones.

Una vez que se delimita la idea de método comienza a quedar claro que investigar no es nada más -ni nada menos- que *buscar*. Se destaca asimismo que la investigación es un proceso abierto, de modo que los resultados alcanzados en un momento se pueden transformar en punto de partida para nuevas investigaciones, lo que permite que la investigación sea *fecunda*. Más que cerrarse en respuestas definitivas, el conocimiento es capaz de generar nuevos interrogantes a partir de cada respuesta, nuevos problemas a partir de cada solución. Tanto en la ciencia como en la vida las verdades son siempre provisorias.

"Sólo sé que no se nada", dijo Sócrates cuando le comentaron que el oráculo de Delfos lo había señalado como el más sabio de los hombres. Esa frase es uno de los pilares fundadores de la filosofía occidental y, en cierto modo, es el germen de la filosofía y de la ciencia. Ambas buscan lo desconocido. La filosofía intenta interpretar el mundo mediante conceptos y la ciencia, conocerlo y modificarlo a través de la técnica. La noción de *mundo* no se limita aquí a nuestro planeta como entidad material sino también a la red simbólica en la que subsistimos: palabras, valores, cultura. El mérito de la frase socrática es postular que si alguien cree que lo sabe todo se cierra a la adquisición de nuevos saberes; en cambio, si reconoce su ignorancia, se abre a múltiples posibilidades cognoscitivas.

Conocimiento y vida son identificados como procesos de detección y resolución de problemas. En función de ello, podemos imaginar este libro como un mapa que nos señala caminos y atajos de la metodología que no son para nada ajenos a la problemática de la existencia. Ahora bien, para resolver problemas hay que saber plantear preguntas que orienten la búsqueda. La respuesta debe llevarnos hacia algún tipo de conocimiento no disponible hasta el momento; requiere asimismo ser formulada de modo que pueda ser refutada por la experiencia y exige que constituya un aporte teórico o técnico relevante. Dicho de otra manera, a nivel científico no se investiga sobre lo que ya está bien respondido, tampoco sobre situaciones que no puedan abordarse desde alguna experiencia posible ni sobre asuntos que carezcan de importancia. Conviene no olvidar que los interrogantes de la ciencia se orientan a la *producción* de conocimientos nuevos y pertinentes.

Las preguntas abren paso a las hipótesis. Pero una teoría científica difícilmente se podría sostener con una sola hipótesis, requiere varias; incluso no siempre se encuentra al comienzo de la pesquisa una hipótesis (o supuesto), en algunos casos se explicita recién al final y a veces se llega al extremo de desarrollar investigaciones que parecen carecer de una hipótesis. A lo largo de estas páginas se presentan los distintos tipos de hipótesis y su relación con otras instancias de la metodología, intercalando ejemplos que facilitan la comprensión y brindando diferentes entradas para cada tema, pues el texto principal es acompañado y reforzado por fragmentos de otros textos, recuadros aclaratorios, ilustraciones y sugerencias.

Una mención especial merece el tratamiento que se hace de los *datos* provenientes de diferentes estados de cosas que, por algún motivo, ameritan ser abordados de manera científica. Se presentan cuatro instancias ineludibles en el desarrollo de la investigación: la *unidad de análisis*, las *variables*, los *valores*, y los *indicadores operacionales* y se las explica con claridad. Se despliegan asimismo los diferentes pasos del *procesamiento y análisis de datos*, y poco a poco se va arribando a estadios más complejos, generales y abarcativos de la maquinaria metodológica.

Cuando llega el momento de abordar el estudio de los proyectos y diagramas de investigación, se podría temer que la comprensión de estas etapas nos hiciera olvidar lo que aprendimos al principio. Pero la lectura está organizada de modo que cada nuevo estadio de conocimiento contenga en sí al anterior, hasta integrarse en una totalidad abarcadora que rescata las particularidades analizadas precedentemente. Es decir que al mismo tiempo que avanzamos, repasamos.

Otro motivo para celebrar en este libro es su falta de dogmatismo y su apertura a las diferencias. No encontraremos aquí recetas únicas sino una multiplicidad de instrumentos ineludibles para el diseño de proyectos metodológicos. Se destaca la diversidad metodológica señalando que existe una tendencia a *explicar* mediante causas en las ciencias naturales y a *interpretar* (dar sentido, comprender) en las sociales. Pero se advierte que el rigor del método depende de la solidez de los planteos, de la robustez de las fundamentaciones y de una exhaustiva puesta a prueba de las hipótesis más que de su condición explicativa o interpretativa. Si los procedimientos son correctos, las causas o el sentido se obtendrán por añadidura.

La autora nos ofrece una caja de herramientas metodológicas que permitan llevar a la práctica una acción indagatoria planificada previamente. Por ejemplo, en el caso de las disciplinas empíricas interesa fundamentalmente la medición. Se subraya entonces que el instrumento (sea cual fuere) está vinculado a los indicadores, que guían el proceso mediante un minucioso registro de lo examinado. Una observación se constituye a partir de una técnica que maneje instrumental científico. Esta observación exige estar orientada por un objetivo preciso de investigación y se debe planificar con determinada sistematización. El rigor observacional sirve para optimizar la búsqueda y permite que otros investigadores puedan replicar o reproducir los procedimientos implementados por quien imaginó la hipótesis.

Si bien el texto desarrolla categorías metodológicas teóricas, no desatiende el aspecto práctico. Abundan ejemplos que acompañan y hacen ameno el discurrir conceptual. Además, hay un capítulo específicamente dedicado a la confección de un proyecto de investigación, como plan y como contrato.

No se descuida tampoco la dimensión ética de la ciencia y, con atinado criterio, se señala su papel prioritario para la toma de decisiones. El conocimiento, aun el de las ciencias naturales, no está exento de responsabilidad moral. Actualmente nadie discute que para investigar hay que regirse por modelos metodológicos estrictos. Sin embargo, todavía no se ha logrado consenso acerca de la necesidad de instalar una ética de la investigación científica, no sólo al final del proceso o aplicación tecnológica sino desde su inicio en el diseño de la investigación básica.

Al llegar a las páginas finales sentimos que hemos encontrado soluciones a través de un libro que, como el hilo de Ariadna, nos orienta para recorrer los vericuetos de la investigación. A ello se agrega que, si aceptamos que lo sabio es reconocer la propia ignorancia, estaremos en condiciones de asumirla como obstáculo a ser superado y de aceptar que cada conclusión pueda llegar a desatar otro proceso de búsqueda. He aquí la fecundidad del conocimiento científico. Seguramente después de recorrer y estudiar las páginas que siguen, nos identificaremos con el triunfante Teseo, porque hemos descubierto nuevos modos de guiarnos por los senderos del saber y nuevos medios para salir de sus laberintos.

# Capítulo I. EL CAMINO HACIA LA CIENCIA

*Vivir es aprender. Aprender es investigar.*
*Dime cómo vives y te diré cómo investigas.*

## Introducción

Allí dónde hay vida, hay aprendizaje. Y si hay aprendizaje, hay inteligencia y por lo tanto creación y progresos en cualquier sentido posible.

*Aprender* es ampliar el horizonte vital. El *aprendizaje* ocurre como consecuencia de dificultades o problemas en las condiciones en que le toca vivir a aquel que aprende. Esta situación obliga a tener que resolver estos problemas y lleva, en consecuencia, a aprender. La superación de esos *problemas* transforma al propio sujeto que aprende. Eso es lo que nos muestra la teoría evolutiva: en la garras del león está contenida la anatomía de las presas de las que se alimenta y en su modo de andar la fisonomía del suelo en que habita. De algún modo, que el cuerpo ha aprendido a adaptarse a las condiciones en que le toca vivir.

Cada especie animal puede ser concebida como una estrategia que evolucionó exitosamente y pudo adaptarse a su medio. Lo que significa que encontró algún modo adecuado (o respuesta pertinente) a las exigencias que ese medio le planteaba.

Los seres vivientes suelen aprender a partir de una estrategia basada en la *selección natural*, posibilitada por las mutaciones y la variabilidad genética: en ella el "ensayo y el error" se hace a escala de vida o muerte (del individuo o de la especie). También la mayor parte (aunque no toda) de la *transmisión de lo aprendido* por la especie se hace a escala biológica. Es decir, que lo que un ser viviente necesita saber para sobrevivir en su medio lo recibe por transmisión bio-genética, lo "trae de fábrica" (aunque, por supuesto, algunas especies, especialmente aquellas llamadas "sociales" requieren también de aprendizajes transmitidos por otros congéneres, generalmente por vía de la imitación).

En cambio, lo que los seres humanos necesitamos saber para vivir como tales (y no sólo como seres vivientes) lo *aprendemos* por socio-génesis. Es decir, necesitamos de otros seres humanos para aprenderlo. Y, además, esos aprendizajes ocurren en muy diversos medios —ya no naturales, sino institucionales (como por ejemplo, la familia o la escuela)- y por muy diversas vías —el cuerpo, el lenguaje, la escritura, etc. Nos hacemos *humanos* participando en experiencias sociales que tienen lugar en esos entornos *institucionales.* Tenemos mayor plasticidad que cualquier otra especie para aprender y por lo tanto es mayor nuestra predisposición a *equivocarnos*.

Ya no es nuestra anatomía la que deja ver la naturaleza de nuestro alimento o nuestro hábitat, sino que son los *instrumentos técnicos y simbólicos (como el lenguaje, o el arte)* y nuestras *instituciones* las que lo muestran. Es a través de ellas que se forjan nuestra *subjetividad, nuestros conocimientos, nuestras representaciones verdaderamente humanas.*

Aunque todo proceso evolutivo implica la transformación conjunta del "viviente y su medio", en el caso de los seres humanos esa transformación supuso además la creación de una "nueva naturaleza", a la que de manera muy genérica podemos llamar "cultura".

Nuestros entornos son –principalmente- entornos *institucionales*. La historia de la humanidad –en sentido amplio, es decir, considerando su prehistoria- nos muestra que las instituciones sociales se han ido modificando, se han ido diferenciando, se han ido complejizando a lo largo de los siglos. De modo que los seres humanos hemos expandido nuestro medio vital a una escala no conocida para ninguna otra especie. Esa expansión ha hecho que enfrentemos conflictos y problemas también desconocidos para esas otras especies. Y, por ese medio, nos hemos transformado en la especie que busca *autodescifrarse* mientras descifra su mundo. Esa búsqueda se ha hecho por múltiples caminos y la *ciencia*, como lo veremos, constituye uno de ellos.

Hemos emprendido el camino de la ciencia hace muy poco tiempo: apenas algo más de cuatro siglos. Si bien ha servido para ampliar nuestro horizonte vital, la ciencia también ha servido para crear –como nunca antes en la historia humana– la posibilidad de la autodestrucción de nuestra propia especie y ha generado las mayores distancias entre el propio género humano (mientras algunos seres humanos pueden imaginar un fin de semana en el espacio, otros millones siguen naufragando en problemas tan básicos como la falta de alimentación).

La humanidad vivió la mayor parte de su existencia sin conocimiento *científico* y sin los desarrollos que hicieron posible lo que llamamos hoy desarrollos *tecnológicos*. Eso significa que la mayor parte de su existencia –pongamos unos 100.000 años desde los homínidos precursores del actual ser humano- la humanidad vivió sin luz eléctrica, sin teléfonos, sin ferrocarril, sin automóviles, sin aviones, sin computadoras, sin antibióticos, sin vacunas, ya que esos recursos comenzaron a desarrollarse desde hace algo más de 100 años (–y por supuesto– todavía hoy esos recursos sólo están disponibles para una parte muy reducida de los habitantes del planeta).

Por eso, lo más interesante no es maravillarnos de "todo" lo que ahora tenemos. Lo más interesante es advertir que durante esos miles de años la humanidad salió adelante, resolviendo sus problemas vitales por otros medios que, de algún modo, permitieron a nuestra especie sobrevivir hasta hoy.

Comenzaremos para ello señalando el punto en que esa historia comienza, lo que podríamos llamar "el origen de la inteligencia". Ese origen no es otro que la misma *adaptación vital*.

## La investigación (o el conocimiento) en las primeras formas de la vida social: el nacimiento de la conciencia

No todos los seres vivientes disponen de los mismos recursos ni despliegan las mismas estrategias para resolver sus problemas vitales, aún cuando compartan problemas parecidos. Todo lo que esperan de la vida es *seguir manteniéndose vivos y reproducirse*.

Más allá de la gran variedad de estrategias que despliegan los millones y millones de vivientes que pueblan el planeta para resolver sus problemas vitales, todos ellos comparten una causa común: el *mantenimiento de la vida* –como individuos– *y su reproducción* –como especie–.

En esa tarea, deben ser capaces de "identificar" su alimento; "distinguir" un semejante de un predador; "protegerse" de las hostilidades del medio; "cortejar" a un congénere (en el caso de los vivientes sexuados). Cada una de estas capacidades suponen algún grado de conciencia y algún tipo de inteligencia.

Pero esta conciencia y la inteligencia implicada en ella están sujetas a las condiciones inmediatas de la experiencia y a lo que cada viviente trae como herencia biológica. Aunque no puede formularse una "ley" al respecto, parecería que los grados y la amplitud de la creatividad y las variaciones en ese tipo de inteligencia están asociadas a la mayor complejidad y sociabilidad de las especies. Allí donde las especies son más dependientes de la vida en sociedad, su inteligencia es más plástica: disponen de algún medio comunicacional, pueden engañarse entre sí o a los predadores y tienen una mayor capacidad de incorporar experiencias por vía del aprendizaje mimético.

En todos los casos, sin embargo, se trata de una inteligencia signada por un método cuyo rasgo distintivo podría ser definido como *tenacidad o intuición.*

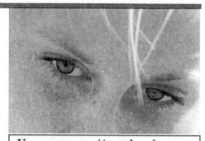

*Una comprensión veloz. La intuición se nos presenta como un conocimiento inmediato y total que hace parecer que conocemos algo sin mediaciones.*

## LA INTUICIÓN

Los rasgos dominantes del método de la intuición son los siguientes: a) inmediatez; b) involucramiento corporal; c) individualismo e incomunicabilidad; d) emotividad; e) resistencia (individual) al cambio; f) holismo o totalismo; g) presencia actual del pasado (u olvido de la historicidad o *recaída en la inmediatez*). Todos estos rasgos están, evidentemente, entrelazados y quizás alguno de ellos resulte redundante, pero vale mencionarlos a todos para ilustrar mejor el carácter y *modus operandi* de este método. El tipo de conocimiento que mejor lo representa es, sin duda, *la percepción.*

Extractado de: Samaja, J. Los caminos del conocimiento. En: *Semiótica de la Ciencia. Inédito.*

En los seres humanos este método de conocimiento sigue siendo operante. Sin embargo, sobre él y más allá de él se desarrollan otras formas de conocimiento y de inteligencia posibilitadas por la enorme expansión de la vida humana.

## LA INVESTIGACIÓN (O EL CONOCIMIENTO) EN LAS PRIMERAS FORMAS DE LA VIDA SOCIAL: EL NACIMIENTO DE LOS MITOS Y LAS NARRACIONES

El paso de la **naturaleza a la cultura** constituye uno de los grandes enigmas de nuestra propia historia. Pero la antropología, la paleontología, la primatología y la etología nos aportan algunos elementos para comprender ese pasaje. Algunas teorías sostienen que este salto evolutivo se debió a la convergencia de varios factores íntimamente vinculados. El primero sería la progresiva complejidad social, que hizo necesaria la incorporación de sistemas de mediación simbólicos para sellar acuerdos duraderos entre las generaciones (especialmente en lo referido a las relaciones de apropiación de sus medios materiales de vida).

De igual modo, la prematurez biológica del ser humano (es decir, el llegar al mundo todavía poco desarrollados desde el punto de vista de su madurez neurológica) hizo que la "cría humana" madure en el marco de relaciones fuertemente dependientes de otros congéneres. En consecuencia, en su adultez se encuentra especialmente preparada para establecer vínculos y roles sociales complejos y diferenciados.

A su vez, esta "prematurez biológica" sería producto de dos factores mutuamente dependientes y conjuntamente reforzados: el estrechamiento de las caderas de las hembras –producto de la posición erguida– y el gran tamaño del cráneo humano.

La bipedestación habría ido cerrando las caderas de las hembras, de modo tal que el canal de parto se hizo progresivamente más estrecho, lo que requirió que el momento del nacimiento ocurra en etapas precoces en el desarrollo del bebé.

Esa misma bipedestación habría posibilitado también la liberación de las manos, lo que permitió usarlas para la fabricación de herramientas. Esto se corresponde con un aumento concomitante del desarrollo cerebral y por lo tanto del tamaño del cráneo humano. Todo ese proceso se habría desarrollado a lo largo de unos 6 millones de años, momento en el cual habríamos comenzado a diferenciarnos de una especie común a nosotros y a los actuales grandes simios (como el gorila, el chimpancé, el orangután y los bonobús).

El largo período que antecede a la aparición del hombre se caracterizó por la presencia de distinto tipo de *homínidos* (ninguno de los cuales sobrevivió), cuyo rasgo común fue la utilización de herramientas rudimentarias. La especie que constituye el actual hombre moderno se ha denominado *homo sapiens*, que significa "capaz de conocer" o "sabio".

El "hombre de Cro-magnon" se caracterizó no sólo por enterrar a su muertos (cosa que ya hacían algunas de las especies anteriores) sino también por realizar *ritos funerarios* y elaborar *"obras de arte"* (lo que no se constata en ninguna de las especies anteriores).

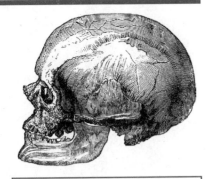

***Nuestro antepasado.*** *Cráneo del hombre de Cro-Magnon el primer humano en cazar con trampas y armas y en asignar tareas diferenciadas a hombres y mujeres.*

## HOMBRE DE CRO-MAGNON

El Hombre de Cro-Magnon es el nombre de la especie que entra en escena hace aproximadamente 40.000 años y el primer representante del hombre actual. Se le denomina Hombre de Cro-Magnon, debido a una cueva francesa en la que se halló uno de sus fósiles. Su altura media era de 1,85 metros, 25 centímetros superior a la de sus predecesores. Poseía una amplia nariz, mentón prominente y frente ancha.

Vivía en cuevas y temporalmente en campamentos al aire libre. Cazaba en grupo. Para atrapar animales grandes se valía de trampas y cazaba a los pequeños con piedras y lanzas. Las mujeres recolectaban frutos. Su adaptación al medio y su capacidad física y cultural era muy superior a la del Hombre de Neanderthal, al cual no tardó en expulsar de sus tierras de caza. Los Hombres de Neanderthal, sin tierras de caza, combatidos, mal adaptados, inferiores a sus rivales, fueron disminuyendo.

Al final del Paleolítico Superior el Hombre de Cro-Magnon se había consolidado en la actual Europa, y el Hombre de Neanderthal había desaparecido.

Según nos informa la investigación antropológica y paleontológica, vemos aparecer en estas primeras comunidades humanas una serie de rasgos desconocidos para cualquier forma de vida anterior a ellas. Entre ellos se cuentan:

- **La elaboración de herramientas que requieren de procesos complejos de fabricación (tallado, pulido, grabado, etc.),**
- **Ritos funerarios y culto a los muertos,**
- **Representaciones y creencias** *mágico-religiosas*,
- **Lenguaje y narraciones mitológicas,**
- **Parentesco como sistema simbólico que rige las prescripciones y las prohibiciones de las alianzas dentro del grupo.**

Todos estos elementos nos hablan de una ***nueva forma de inteligencia*** cuyo objetivo ya no es sólo la supervivencia biológica (propia o de la descendencia), sino también la **supervivencia del grupo y de las tradiciones de la cultura**.

Ya no se trata sólo de hacer lo necesario para comer, alimentarse y reproducirse, sino hacerlo sujetándose a lo que dicta la *cultura*.

Así sigue siendo para nosotros: no sólo comemos (lo cual es necesario para mantenernos como meros vivientes), sino que lo hacemos según lo dicta nuestra cultura, siguiendo ciertos "rituales" y ciertos modismos: se come en ciertos lugares, en ciertos horarios, utilizando ciertos instrumentos, etc.

Al seguir esas costumbres, mantenemos viva nuestra cultura.

Aparecen así nuevas necesidades que no sólo se deben a nuestra biología sino también a nuestro espíritu, como por ejemplo, el *arte* y la *religión*. Ambos elementos constituyen los rasgos característicos (y distintivos) de las primeras sociedades humanas y aparecen íntimamente vinculados. En los dos casos se trata de imprimir a la realidad inmediata una serie de representaciones que da origen al ***pensamiento abstracto***.

En el caso de la religión, el culto a los muertos o a las deidades implica que los seres humanos se vinculan con una realidad que trasciende el "aquí y ahora de la experiencia".

Un mismo objeto, si adquiere el carácter de objeto religioso se transforma inmediatamente en "objeto tabú", portador de ciertos poderes que parecen trascender sus propiedades físicas o materiales: a los objetos sagrados se los venera, se le rinde culto, se le tiene respeto o incluso temor.

De igual modo, en la experiencia artística vivenciamos un sentimiento que parece trascender también nuestra realidad inmediata. El *placer estético* nos hace partícipes de algo que parece "superior y trascendente" a nosotros mismos.

Son ese tipo de experiencias –junto con los sentimientos y representaciones que las acompañan– las que se habrían inaugurado con esa forma de vida que, según sabemos, apareció sobre la Tierra hace aproximadamente unos 100.000 años.

En ellas las *narraciones mitológicas*, la *lengua*, los *rituales sociales*, son los medios por los que *se transmite y se aprende* la cultura y son también los medios por los que cada nueva generación ingresa en esta forma de pensamiento y representaciones abstractas.

**En el origen**. *La vida como un don transmitido de Dios al hombre según el célebre fresco de Miguel Ángel en la Capilla Sixtina.*

## FUNCIÓN REGULADORA DE LOS MITOS

Los mitos son relatos fabulosos que explican o dan respuesta a interrogantes o cuestiones importantes para los humanos. En segundo lugar, los mitos son relatos que pretenden enseñar y promover modos de comportarse. Los mitos se imponen como relatos llenos de autoridad pero sin justificación; se apela, emotivamente, a que las cosas siempre han sido así. Los mitos griegos, por ejemplo, explican cómo se hizo el mundo, cómo fue creado el primer hombre y la primera mujer, cómo se obtuvo el fuego, cómo apareció el mal en el mundo, qué hay después de la muerte. Al mismo tiempo, las conductas extraordinarias de los personajes míticos son un ejemplo o pauta a seguir. Los griegos disponían de gran número de mitos, nosotros también. Disponemos de mitos que cumplen con una función explicativa y  proponen ejemplos a seguir.

www.xtec.es/~lvallmaj/passeig/mitlogo2.htm

Aunque en estas formas de organización social los seres humanos eran capaces de dominar muy diversos tipos de técnicas (desde la elaboración de herramientas hasta la construcción de embarcaciones y armas rudimentarias) no tenían sobre ellas conocimientos estrictamente científicos. Podían y sabían hacerlas, pero no sentían la necesidad de dar cuenta de *razones y causas explicativas* sobre su *modus operandi*. De la misma manera que cualquiera puede hacer una flecha y dispararla sin necesitar para ello de manejar *ciencias formales* como la matemática (para calcular trayectos según ángulo o dirección de disparo), ni *fácticas* como la física (para estimar la fuerza del impacto que causará en el objeto al que se dirige).

La principal motivación cognitiva de estas sociedades estaba vinculada a las inquietudes que le demandaban su organización social y sus manejos técnicos. Aunque se servían de la naturaleza lo hacían todavía bajo la forma inmediata de lo que se llama "la producción para el consumo". El mundo natural era concebido de acuerdo a la forma en que se lo explotaba: como un servidor, al que también había que servir. El ser humano estaba igualmente vinculado a otros seres humanos, en una relación en la que se requerían y se necesitaban mutuamente. Aunque había diferentes funciones sociales, sólo el grupo garantizaba la supervivencia entre los "cazadores" y "recolectores". De modo que el centro de sus preocupaciones estaba puesto, precisamente, en garantizar esa alianza natural del grupo y el control de las disputas que pudieran generarse dentro de él.

En síntesis, esas condiciones comunitarias de producción y consumo vinculadas a las complejidades de la organización social (basada en el parentesco) son las que posibilitaron el desarrollo de las formas de *conocer y aprender*, propiamente culturales:

- **la irrupción de lo que podemos llamar "pensamiento abstracto" bajo el modo de lo mítico-religioso y el arte y**

- **la transmisión del conocimiento propiamente cultural, ya no por medios biológicos ni tampoco por la sola imitación sino por medio del lenguaje y las tradiciones**

–especialmente a través de *narraciones* o *mandatos religiosos* **cuya función fue (y sigue siendo) la de fijar** *normas sociales* **(necesarias para preservar la vida en sociedad).**

Aunque estas formas de pensamiento permanecen como parte de la vida humana en todas las fases de su posterior desarrollo, también se fueron transformando (tanto en el ámbito del *arte*, la *religión* como en lo relativo a las *costumbres y prácticas culturales*) y dieron lugar a nuevas formas de pensar y comprender el mundo y la vida humana en él. Una de esas transformaciones fue precisamente la que posibilitó el surgimiento del *pensamiento filosófico*.

## La investigación (o el conocimiento) en el mundo de la polis: el nacimiento de la reflexión y la filosofía

La mayor parte de la historia humana transcurrida hasta la actualidad estuvo dominada exclusivamente por el tipo de pensamiento y las formas de vida que hemos descrito. Sin embargo, en cierto momento, y en épocas bastante más recientes, hizo su aparición un nuevo tipo de pensamiento que dio origen a esa disciplina llamada *filosofía*, caracterizada por un método de indagación *racional o reflexivo*. A esa transformación en el pensamiento se la conoce como ***"pasaje del mito al logos"***.

### ¿QUÉ ES EL LOGOS?

*Logos* (en griego λόγος) significa "razonamiento", "argumentación", "habla" o "discurso". También puede ser entendido como "inteligencia", "pensamiento", "ciencia", "estudio", "sentido". *Logos* significa inteligencia pura del hombre. Heráclito utiliza esta palabra en su *teoría del ser*, diciendo: *"No a mí, sino habiendo escuchado al logos, es sabio decir junto a él que todo es uno"*. Tomando al *logos* como la gran unidad de la realidad, Heráclito pide que la escuchemos, es decir, que esperemos que ella se manifieste sola en lugar de presionar para que eso suceda.

El ser de Heráclito, entendido como *logos*, es la Inteligencia que dirige, ordena y da armonía al devenir de los cambios que se producen en la guerra que es la existencia misma. Se trata de una inteligencia sustancial, presente en todas las cosas. Cuando un ente pierde el sentido de su existencia, su pensamiento se aparta del *Logos*.

*Adaptado de wilkipedia*

**Inteligencia superior.** *Según el filósofo griego Heráclito, el logos es el principio que dirige y ordena los cambios que se producen en la existencia.*

Este tránsito se produjo cuando surgió una nueva forma de organización social, conocida como *polis* o *ciudad estado*, la que habría aparecido como consecuencia de la superación de ciertos conflictos originados por el crecimiento y la expansión económica de algunas comunidades, especialmente cuando comenzaron a transformarse en "agriculturas y ganaderas", y por la tanto su producción ya no sólo se destinó al consumo, sino también al intercambio. El excedente en la producción generó riqueza adicional para la comunidad, con sus consiguientes conflictos.

Ese contexto social engendró nuevos problemas y exigió nuevas formas de enfrentarlos y resolverlos. Ya no fueron suficientes las normas de la tradición, las costumbres o los mandatos de las deidades.

Nuevos conflictos hicieron necesarias nuevas soluciones, que terminaron generando una nueva práctica social llamada *legislación*. Es decir, "creación de leyes". Recordemos que el rasgo característico del pensamiento mitológico es la aceptación dogmática. Las tradiciones se aceptan. Los mitos son, en cierto sentido, "leyes divinas".

En cambio, las "leyes de los hombres" son leyes que surgen del debate, de la deliberación y –como tales- están sujetas a la revisión reflexiva. Al discutir las leyes, los seres humanos aprendieron a *razonar* buscando el *entendimiento* con los demás.

Aprendieron a *fundamentar* en base a principios que debían mostrarse "justos", equilibrados, universalizadores, es decir, que debían atender a los intereses comunes.

No se sabe exactamente desde qué momento se incorporó esta práctica social (el primer código jurídico encontrado fue el "Código de Hamurabi" y data del 1700 A.C.), pero sin duda el escenario del que más datos disponemos es el de la Grecia que nació en torno al siglo VI o VII A.C. Los primeros legisladores aparecieron en el mismo período en que lo hicieron los primeros *filósofos*. Y los más grandes filósofos se ocuparon –como asunto central de sus reflexiones- de los problemas de la *virtud, la moral, la justicia, la política*. Todas estas preguntas eran desconocidas para la mentalidad de las primeras comunidades humanas.

A esas nuevas sociedades se las conoce como *sociedades políticas* (precisamente por referencia a su forma de organización social: la *polis* o *ciudades-estados*).

Fue el mismo Aristóteles el que equiparó "lo racional" con "lo político". Definió al ser humano como *zoon politikón* y como *zoon logikón*. El mismo sujeto que acepta lo "racional" como guía de su pensamiento, reclama y siente la "justicia" en su espíritu como un valor y un criterio que brinda equilibrio a las relaciones sociales.

*Foro de la razón. El célebre cuadro La Escuela de Atenas, de Rafael, retrata a los filósofos de la polis griega del siglo V A.C.*

## ANIMALES POLÍTICOS

Es en el surgimiento de esas instituciones especialmente dedicadas a la deliberación y a la producción de actos de gobierno donde fermenta y se acrisola esa capacidad que enorgullece al ciudadano griego: la Razón. Ésta fue una facultad que nació con aquella sociedad que necesitó de ella para seguir existiendo, la sociedad con enfrentamientos de clases. Las dos definiciones del hombre que elaboró el genio griego "el hombre es un animal racional" y "el hombre es un animal político", poseen un contenido idéntico y pueden ser intercambiadas. El método del Estado es, pues, el método de la metafísica o de la reflexión.

*Extraído de: Samaja, J. Los caminos del conocimiento.*
*En Semiótica de la ciencia. Inédito.*

Puede decirse que la "investigación filosófica" consiste en el examen riguroso de los fundamentos que motivan la aceptación –o no- de un cierto conocimiento, siguiendo ciertas normas de razonamiento –que van a consolidarse como *normas lógicas*- (y que serán también las normas que rigen el "buen debate"). Cada sistema o escuela filosófica adopta un punto de partida como fundamento de su sistema o su orientación. De la misma manera que cada mito constituye una narración referida a una historia sobre el "origen del mundo, de la sociedad, etc.", así también cada escuela u orientación filosófica –desde sus orígenes hasta la época contemporánea- fija uno o varios criterios a partir de los cuales se derivan las distintas concepciones del ser, del conocer, de las ideas, etc. Pero a diferencia del pensamiento mitológico, el conocimiento filosófico busca un *saber fundado* y se basa en un *método* que no se propone imponer, sino persuadir, valiéndose de un principio pretendidamente *racional* o que apela al entendimiento con los demás.

***Pensar en etapas***. *Hitos de la filosofía: Platón, Kant, Marx, son algunos de los nombres imprescindibles para comprender las respuestas que se han dado a los grandes enigmas del hombre.*

## TRAMOS DE LA FILOSOFÍA

En sentido estricto, el inicio de la historia de la filosofía occidental se sitúa en Grecia hacia el s. VII AC, en las colonias de Jonia. Suele considerarse como primer filósofo a Tales de Mileto —uno de los Siete sabios de Grecia—, quien fue además astrónomo y matemático.

Los grandes períodos en los que se suele dividir la historia de la filosofía occidental no son absolutamente precisos, ya que el pensamiento filosófico no ha seguido una evolución lineal. La filosofía griega abarca desde el siglo VII AC hasta el s. III AC; pero su influencia se ha prolongado hasta nuestros días, debido sobre todo al pensamiento y la escuela de Platón y Aristóteles (s. IV AC). La principal característica de la filosofía griega es el esfuerzo de la razón humana por explicar todos los fenómenos cósmicos y humanos mediante análisis y argumentos racionales sin acudir a explicaciones de carácter mítico o religioso.

El período del pensamiento cristiano dominó en Occidente desde el siglo I hasta el Renacimiento (siglo XV). Las figuras principales del pensamiento cristiano y católico que más han influido en la cultura han sido San Agustín y Santo Tomás de Aquino. La característica principal de este período fue la subordinación del pensamiento filosófico a la teología católica.

El período de la filosofía moderna se inaugura con Descartes en el siglo XVI y se centra, sobre todo, en la reflexión sobre el conocimiento y sobre el ser humano. La revolución científica que propició la aparición de la filosofía moderna y que va desde el siglo XV al XVII fue uno de los impulsos renovadores más importantes de la historia cultural de Occidente y de toda la Humanidad. Otro de los movimientos filosóficos más importantes fue la Ilustración de los siglos XVII y XVIII en Europa. Los filósofos ilustrados que más contribuyeron a la evolución filosófica de Occidente fueron Hume y Kant, que situaron el esfuerzo de la razón humana dentro de los límites del empirismo y del racionalismo, respectivamente.

En el siglo XIX se destaca la filosofía de Hegel, que intenta dar cuenta de la totalidad de lo real desarrollando para tal fin un sistema filosófico que influyó en otro gran filósofo moderno, Karl Marx. En ese mismo siglo, descolló también un filósofo opuesto al hegelianismo y creador de un fuerte pensamiento crítico, Friedrich Nietzsche. En los comienzos del siglo XX se produjo un importante movimiento de reflexión sobre la ciencia llamado *Círculo de Viena;* sus fundadores fueron los creadores de la epistemología moderna y se opusieron duramente a

la filosofía tradicional, acusándola de construir proposiciones absurdas, ya que para los miembros del Círculo la filosofía solo debería ocuparse de analizar la corrección del lenguaje científico. A los seguidores actuales de esa concepción se los denomina "neo-positivistas". También pertenecen al siglo pasado dos grandes filósofos cuyas teorías gozan de gran vigencia: Ludwig Wittgenstein y Martin Heidegger, y movimientos filosóficos que influyeron asimismo en las ciencias sociales, como el estructuralismo y el pos-estructuralismo, entre estos últimos se destacan Derrida, Foucault y Deleuze.

Extractado de: www.es.wikipedia.org/wiki/Historia de la Filosofía y de www.estherdiaz.com.ar

El pensamiento filosófico –y la práctica filosófica- siguió y continúa desarrollándose. Reconoce además múltiples ramas –como la lógica, la ética, la metafísica, la filosofía política, la teoría del conocimiento o gnoseología, la epistemología o teoría del conocimiento científico– a cada una de las cuales han aportado los filósofos y escuelas de todos los tiempos. Es precisamente una de esas ramas –la denominada epistemología- la que se ocupa del examen y los fundamentos del conocimiento científico. La epistemología (del griego, πιστόμη o episteme, "conocimiento"; λόγος o logos,"teoría") es el estudio de la producción y validación del conocimiento científico. Su aparición ocurrió, por supuesto, cuando en la cultura humana se había instalado ya esa práctica social llamada ciencia, durante ese gran período histórico que se conoce como Modernidad.

## LA INVESTIGACIÓN (O EL CONOCIMIENTO) EN EL MUNDO DE LAS SOCIEDADES MODERNAS: EL NACIMIENTO DE LA CIENCIA Y LA TECNOLOGÍA

Al igual que ocurre con el pensamiento mitológico, la aparición de nuevas formas de conocer no agota ni anula las anteriores. El nacimiento de la ciencia moderna supuso una ruptura con la filosofía tradicional (especialmente con la que se conoce como *escolástica*) en la manera de plantear y resolver los problemas. Sin embargo, la filosofía –al igual que la religión y el arte- continuó teniendo su lugar en la cultura humana, aunque bajo las nuevas formas que le imprimió la sociedad en que se desarrolló.

Lo que hoy conocemos como *método de investigación científica* se gestó, una vez más, en un período signado por importantes transformaciones en la vida social. Históricamente ese período se inicia entre los siglos XVI y XVIII, y suele tomarse como hito fundacional la publicación de la obra  de Nicolás Copérnico, *De revolutionibus orbium coelestium* [Sobre la revolución de los orbes celestes], de 1543.  Aunque quizá el referente más acabado -en el que culmina todo un desarrollo que incluye a Galileo Galilei, Johannes Kleper, Tycho Brahe, - lo constituya la obra los *Philosophiae Naturalis Principia Mathematica* [Principios matemáticos de filosofía natural] de Isaac Newton, aparecida en 1687.

El período en que se consolida la ciencia moderna, coincide con los acontecimientos que se conocen como **revolución moderno-burguesa y  revolución industrial**. Ambos están vinculados a las importantes transformaciones que ocurrieron a escala económica en toda la vieja Europa –a la que paulatinamente y con desarrollados muy diferentes se fueron sumando otras regiones del mundo, y muy especialmente el "nuevo continente americano". Ese período vio nacer una nueva forma de organizar la producción y el consumo, que alteró completamente las formas de vida previas (especialmente las formas del período feudal que lo precedió) y que hoy conocemos como **capitalismo.**

## EL CAPITALISMO

El capitalismo como sistema económico se fue gestando en un largo período que se extiende desde aproximadamente el siglo XVI para consolidarse de manera definitiva en el siglo XVIII. Consistió en una nueva forma de "propiedad privada": la de los *medios de producción* (sustituyendo al feudalismo, basado fundamentalmente en la propiedad territorial). Sólo aquellos que tienen las propiedad de los medios de producción (llamados por ello *capitalistas*) pueden comprar a otros lo único que tienen para vender: su fuerza de trabajo por la que le pagan un "salario" (de allí que se los llama *asalariados*).

*La fábrica social. El sistema capitalista se basa en la propiedad privada de los medios de producción y la venta de la fuerza de trabajo.*

Se reconoce como el gran ideólogo de este sistema económico al filósofo Adam Smith. En su obra clásica *Investigación sobre la naturaleza y causas de la riqueza de las naciones* (1776), intentó demostrar que era posible buscar la ganancia personal de forma que no sólo se pudiera alcanzar el objetivo individual sino también la mejora de la sociedad. Los intereses sociales radican en lograr el máximo nivel de producción de los bienes que la gente desea poseer. Smith pensaba que "persiguiendo cada uno su interés personal" (por la propiedad y a través de la competencia entre vendedores en el mercado) llevaría a los productores, 'gracias a una mano invisible', a alcanzar el bienestar de la sociedad.

El modo de producción capitalista promovió una posición activa del hombre sobre la naturaleza, orientada por el valor de la "producción para el mercado". Esa posición se acompañó de una exaltación de la "práctica" sobre la "contemplación o reflexión teórica" y terminó por concebir al hombre como "amo o señor de la naturaleza". La producción capitalista exaltó el valor del sujeto activo, inquisidor, capaz de desafiar los designios naturales y de transformarse en un creador, junto a Dios.

## LEJOS DE LA NATURALEZA

La relación del ser humano con su medio natural y los medios de producción ya no es en el capitalismo inmediata y natural sino que está mediada por vínculos contractuales. El ser humano se separó de la naturaleza y se reencontró con ella a través de lo que hoy conocemos como "trabajo asalariado". Por una parte, los que compran el trabajo –los llamados *capitalistas*- no se vinculan con la naturaleza de manera directa, aunque sí indirecta porque son dueños de lo que se produce a partir de ella. Y los que se vinculan de manera directa con los medios de producción y los recursos naturales –los trabajadores asalariados de la producción- aunque tienen una relación directa con ella no son dueños de lo que producen, sino que la "reencuentran" de manera indirecta a través de su salario.

*Futuro en peligro. La distancia del hombre con la naturaleza ha afectado seriamente al medio ambiente y amenaza con transformar el planeta en un lugar inhabitable.*

Esta situación de "extrañamiento", este divorcio entre la producción y el consumo, generó una actitud relativamente hostil y depredadora del ambiente natural, por una parte (a través de una explotación desmedida de sus recursos), y de mayor divorcio entre los seres humanos (ya que no se necesitan unos a otros

de manera directa, sino mediada: los seres humanos no son el "fin" de otros seres humanos sino sus "medios": medios para obtener riqueza, para producir ganancias, etc.). Actualmente la humanidad está tomando nota del costo que este extrañamiento y este divorcio tiene, tanto en términos del daño al medio natural como en términos del sufrimiento humano.

Es ese marco histórico social el que acompañó e hizo posible el desarrollo de la ciencia. Ésta nació primero como ciencia de la naturaleza, y fue la física o mejor aún la mecánica la que lideró el escenario. La "revolución industrial" lleva la metáfora de la máquina a todos los dominios de la vida humana y natural y el paradigma de la mecánica se adopta como emblema al que cualquier ciencia debía ajustarse.

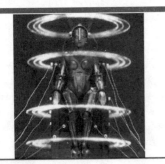

***Pesadilla tecnológica***. *La película alemana* Metrópolis *alertaba en los años 1930 sobre el reemplazo del hombre por la máquina.*

### SER MÁQUINA

"Hombre máquina: Expresión elaborada por Julien Offray de La Mettrie (1709-1751) que, en su obra *L'homme machine* (1747), desarrolla consecuentemente las concepciones del materialismo mecanicista que le permiten considerar al hombre como una máquina. A partir del siglo XVII, los grandes avances en la mecánica fomentan una corriente de pensamiento fuertemente mecanicista o mecanista (término acuñado por Boyle en 1661) que se introduce como modelo explicativo general que generaliza en el ámbito del pensamiento las analogías entre el mundo y las máquinas, ampliamente utilizadas durante el siglo XVI.

*Adaptado de: Diccionario de filosofía en CD-ROM.*
*Autores: Jordi Cortés Morató y Antoni Martínez Riu.*

La Revolución Francesa generó importantes cambios e instituyó por primera vez en la historia humana la idea de "derechos humanos universales". Eso significaba que los seres humanos debían gozar de ciertos derechos básicos y comunes a todos por el solo hecho de ser miembros del género humano. Como consecuencia directa, se instaló la idea del "individuo libre", según la cual todos somos "libres" de participar en diversos tipos de transacciones económicas habilitadas en el mercado.

Pero de manera más general, esa idea hizo posible también la emergencia de valores desconocidos para cualquier forma de organización social anterior: el libre pensamiento, la libertad de culto, la libertad de opinión, etc. En ese contexto, el principio rector es el que se ha definido como *principio de la experiencia* (en oposición al *principio de la autoridad religiosa* imperante en el largo medioevo). Con esa denominación se aludía a la idea de que –tanto en la ciencia como en la filosofía moderna (que maduró junto con ella)- se admite un conocimiento sólo a condición de que "cada quien" pueda reconocerlo o aceptarlo como válido o, de manera más precisa, pueda hacer su propia experiencia de constatación.

La idea de la posibilidad de la propia comprobación quedó plasmada de la manera más acabada en la obra de René Descartes el *Discurso del Método*.

## REGLAS DEL MÉTODO

Así no es mi propósito enseñar aquí el método que cada uno debe seguir para conducir bien su razón, sino sólo de hacer ver de qué manera he tratado de conducir la mía.

No aceptar jamás ninguna cosa como verdadera que yo no conociese como tal: es decir, evitar cuidadosamente la precipitación y la prevención; y no comprender en mis juicios nada más que lo que se presentara a mi espíritu tan clara y distintamente que no tuviese ninguna ocasión de ponerlo en duda.

Dividir cada una de las dificultades que examine en cuantas partes fuese posible y en cuantas requiriese su mejor solución.

Conducir ordenadamente mis pensamientos, empezando por los objetos más simples y más fáciles de conocer, para ir ascendiendo poco a poco, gradualmente, hasta el conocimiento de los más complejos, e incluso suponiendo un orden entre los que no se preceden naturalmente.

Hacer unos recuentos tan integrales y unas revisiones tan generales, que llegase a estar seguro de no omitir nada.

*Fragmento de* Discurso del Método *de René Descartes.*

***Razón en pasos.*** *El francés René Descartes estableció las reglas del razonamiento y con ello las bases del pensamiento científico.*

En este contexto puede comprenderse aquello que define el *método científico*: la evaluación de los conocimientos a la luz del dictamen de los hechos. Eso significa que ya no se aceptará ningún conocimiento porque provenga de una tradición o un mandato divino, ni tampoco porque parezca razonablemente aceptable. Sólo se lo aceptará si puede ***ponerse a prueba o puede constatarse*** en el marco de una experiencia comunicable o examinable de manera pública.

Así, por ejemplo, un filósofo de la antigüedad como Demócrito (470/460 al 370/360 AC) había postulado que "nada existe aparte de átomos y vacío". Para él toda la materia no sería más que una mezcla de elementos originarios inmutables y eternos, entidades infinitamente pequeñas y, por tanto, imperceptibles para los sentidos, a las que llamó átomos (que en griego significa "que no puede cortarse").

Pero Demócrito no hizo ninguna experiencia, ninguna prueba empírica para averiguar cómo detectar esos elementos inmutables, ni para constatar si efectivamente se comportaban como él imaginaba. Fue recién en un período avanzado del desarrollo de la ciencia, cuando investigadores como Dalton, Thomson, Rutherford, Bohr, entre otros, aportaron "evidencia empírica" a partir de la cual derivar o convalidar los modelos atómicos.

El experimento de Rutherford, por ejemplo, consistió en bombardear una fina lámina de oro con rayos alfa sobre una pantalla fluorescente a los efectos de observar sobre ella el efecto de ese bombardeo. Al observar el impacto de los rayos sobre la pantalla fluorescente notaba que a) la mayoría atravesaba la lámina sin sufrir desviaciones; b) algunos rayos se desviaban y c) muy pocos rebotaban. A partir de esa *evidencia* Rutherford propuso que la mayor parte de la lámina estaba formada por vacío (de modo que también la mayor parte de los átomos que forman la materia estaría formada por vacío) ya que la mayoría de las partículas pasaba sin desviarse, que algunos rayos se desviaban porque pasaban muy cerca de centros con carga eléctrica similar a la de los rayos (y los elementos con igual carga eléctrica se repelen) y, finalmente, que algunos rebotaban porque chocaban frontalmente contra esos centros de carga positiva.

De estas **experiencias** Rutherford derivó un modelo del átomo semejante al del sistema solar: con los protones en el núcleo y los electrones girando a su alrededor. De modo que aunque en algunos aspectos este modelo podía tener semejanzas con el de Demócrito, ambos se diferenciaban radicalmente por el modo de validar y justificar su propuesta teórica.

El modelo de Rutherford fue efectivamente revisado y modificado por otros investigadores. Pero esas revisiones no se hicieron invocando principios teóricos o divinos: en todos los casos se hicieron a la luz de nuevos experimentos o nuevas observaciones que permitieron precisar los hallazgos precedentes.

La modernidad no sólo produjo las ciencias de la naturaleza –con la física o la mecánica a la cabeza– sino que progresivamente fueron abriéndose paso las ciencias del espíritu (a las que actualmente llamamos "ciencias sociales"). Éstas hicieron su aparición más tardíamente, y surgieron en gran parte como "reacción" a las concepciones mecanicistas que imperaban desde la hegemonía de la física. En gran parte, esta crítica a la ciencia y la técnica se produce como efecto de las limitaciones que, luego de su etapa de esplendor, dejó al descubierto la Revolución Industrial –entre ellas y quizá principalmente, la miseria social–. En el terreno de las ideas este momento se conoce como "reacción romántica". Desde esta nueva concepción se denuncia lo que el optimismo ilustrado había ignorado, es decir, los temas de los límites de la técnica para la comprensión de los fenómenos del *espíritu*.

***Naturaleza y espíritu.*** *El filósofo alemán Theodor Adorno participó de las intensas polémicas por el método en las diferentes ciencias.*

## CIENCIAS EN CONFLICTO

Se discute acerca de la metodología propia de las ciencias sociales, ciencias históricas, o ciencias del espíritu en general: según algunos, les incumbe un método que las distinga de las ciencias empíricas tradicionales, y según otros el método ha de ser para toda ciencia el mismo. Esto forma parte de una disputa más amplia, la denominada *Methodenstreit* (controversia sobre los métodos), surgida primeramente a finales del siglo XIX, en Alemania, entre ciencias de la naturaleza y ciencias del espíritu; Dilthey sostuvo el carácter propio y diferencial de estas últimas, que debían recurrir a métodos históricos, sobre todo la comprensión y la hermenéutica. La polémica se reanudó en los años sesenta, también en Alemania, entre Popper y Adorno, y otros.

Diccionario de filosofía en CD-ROM. Autores: Jordi Cortés Morató y Antoni Martínez Riu.

## EL CONOCIMIENTO CIENTÍFICO

Ahora bien, se trate de ciencias de la naturaleza o ciencias del espíritu, todas ellas llevan el mote de "ciencias": ¿Cuál es su rasgo distintivo, entonces, en qué se diferencia de los otros métodos, de las otras formas de conocer y aprender que hemos examinado?

El rasgo definitorio de la práctica científica es el de la *"puesta a prueba de hipótesis"*. Adoptar un conocimiento a "título de hipótesis" supone que ese conocimiento puede ser revisado y eventualmente superado por otro que resulte más adecuado para explicar o comprender los asuntos en cuestión.

A diferencia de las búsquedas filosóficas o religiosas, el conocimiento científico se motiva siempre por preguntas relativamente más modestas en cuanto a su alcance, pero más ambiciosas en cuanto a lo que se puede hacer con ellas.

Así, por ejemplo, la ciencia no se interesa por preguntas como "la inmortalidad del alma" o "la existencia de Dios", ni se pregunta por el "ser de las cosas" (en el mismo sentido en que lo hace, por ejemplo, la filosofía). Sus preguntas están circunscriptas a asuntos bien delimitados, que deben resultar abordables en el marco de alguna experiencia (creada, controlada o delimitada por el investigador/a).

En ese sentido, la ciencia

- **va detrás de conocimientos que develen** *regularidades necesarias* **para los fenómenos que investiga (por eso se dice que son conocimientos universalizables o generalizables);**

- **pero, al mismo tiempo, ese conocimiento debe ser constatado en el marco de experiencias u observaciones que puedan iluminar o mostrar esas regularidades postuladas;**

- **y, finalmente, los procedimientos de constatación (que hacen posible esas experiencias o esas observaciones) deben ser públicos: es decir, reproducibles por quien quisiera llevarlos a cabo, para obtener por sí mismo la evidencia de los hechos.**

La búsqueda de regularidades con alcance general o universal es muy clara en el marco de las ciencias clásicas. Una experiencia –pongamos el "plano inclinado" de Galileo- servía para ilustrar un principio o una ley universal: la relación entre la caída y el peso de los cuerpos. Pero con esa experiencia no se quería mostrar el hecho contingente y circunstancial de "esa" caída en "esa experiencia"; sino el comportamiento de "toda caída" de cualquier peso, en cualquier tiempo y en cualquier espacio de la Tierra.

En la investigación social, psicológica y antropológica, se buscan también regularidades de los fenómenos, y se lo hace también en base a la constatación empírica. Así, por ejemplo, Claude Levi Strauss postuló una *ley universal del tabú del incesto* que según sus hallazgos se comprobaría en toda cultura (de modo que, allí dónde hay cultura –según esta ley- se debería observar ese *tabú* o prohibición incestuosa) y para su formulación se basó en algunas culturas estudiadas por él. De igual modo, Sigmund Freud describió el funcionamiento del psiquismo humano examinando a un puñado de pacientes. Emilio Durkheim identificó un principio general en la división del trabajo social a partir de algunas experiencias sociales específicas. Jean Piaget postuló la existencia de ciertos estadios invariantes (es decir, siempre presentes) en el desarrollo de la inteligencia humana, basándose en pruebas realizadas con algunos cientos de niños.

En algunas ramas, o en algunos tipos de investigación en ciencias sociales, esa posibilidad de generalización pareciera no poder cumplirse. Eso ocurre de manera más evidente, por ejemplo, en la ciencia histórica. Para algunos epistemólogos, sin embargo, también en este caso se produce algún tipo de generalización, aunque de otra naturaleza. Si se estudian, por ejemplo, *las formas de organización social en las comunidades indígenas de América*, será necesario relevar, entre otras cosas, registros arqueológicos (estos registros serán los "hechos", los recursos o base empírica que pueden ser por tanto examinados con métodos precisos, y transferibles). Examinando algunos registros, se inferirán y se postularán los rasgos de esas sociedades. Es decir, con el examen de una parte de ella se sacarán conclusiones generales. La sociedad indígena estudiada es el "universo" que investiga el estudioso de la historia. De modo que su tarea es develar la "ley o el principio" que rige el modo de funcionamiento de esa sociedad particular que investiga.

Esto llevó a que se distinguieran a unas disciplinas o prácticas científicas de otras: por una parte, las llamadas *ciencias nomotéticas* y por otra las llamadas *ciencias ideográficas*. Con las primeras se alude a las investigaciones cuyo fin es identificar regularidades empíricas, mientras que con las segundas se alude a las ciencias que estudian fenómenos "no repetibles" (como es el caso de la historia).

De cualquier modo, y a modo de síntesis, cabe reconocer que, en el terreno científico, todo conocimiento –el de Galileo como el de Freud, e incluso la investigación histórica- debe cumplir con los requisitos que hemos señalado:

- **ofrecer algún tipo de evidencia empírica para apoyar las** *interpretaciones o explicaciones* **de los fenómenos que se estudian;**
- **y hacerlo de tal manera que otros investigadores puedan revisar esos hallazgos y eventualmente refutar sus conclusiones.**

Si esa revisión permite iluminar los hechos desde una nueva perspectiva superadora, deberá a su vez estar apoyada en nuevas operaciones fácticas o empíricas que develarán relaciones o situaciones no previstas por los modelos y las experiencias anteriores.

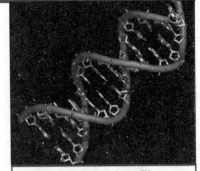

***Una realidad prevista****. El genoma humano quedó establecido luego de una serie de hipótesis biológicas.*

## HIPÓTESIS EN JUEGO

El rasgo distintivo del método de la ciencia es su disposición a examinar todas las opiniones a título de hipótesis y su compromiso a decidir por una de ellas de conformidad con los dictámenes de los hechos mismos, mediante una metódica comprobación de la *eficacia predictiva* de cada una de las hipótesis en juego. Se conoce este rasgo *operatorio* esencial del método científico con el nombre de "procedimiento hipotético-deductivo" dado que en su forma más esquemática él se presenta como eso: como la apuesta a una hipótesis y la prueba de su temple mediante el examen de su eficacia predictiva.

*Extraído de: Samaja, J. Los caminos del conocimiento.*
*En Semiótica de la ciencia. Inédito.*

El resto de este libro está dedicado a examinar con algún detalle el modo de funcionamiento de la ciencia y eso que llamamos *puesta a prueba de hipótesis científicas*.

Por lo pronto, interesa recordar una vez más que los distintos tipos de conocimientos y los métodos de indagación asociados a ellos estuvieron posibilitados –y fueron funcionales– a ciertas formas de vida y que eso mismo vale para la ciencia.

La aparición del método de la ciencia no sólo no ha anulado las demás formas de producir conocimientos y dar sentido a nuestra vida sino que además la ciencia se muestra íntimamente vinculada a ellos por múltiples caminos.

Como lo señala Kant en el prólogo a su *Crítica de la Razón Pura,* cuando el científico va al laboratorio para hacer un experimento, cree saber lo que sucederá: no es posible conocer sino aquello que la razón ya ha diseñado previamente. El experimento tiene el papel de confirmar o falsear las hipótesis que el científico ha construido sobre la base del modo que ha prefigurado el mundo de la vida. De modo que nada podría hacer la ciencia, sin un sujeto capaz de "imaginar" o capaz de "crear" por vía de otros métodos que la preceden y que la hacen posible.

> LA FORMA DE EXISTIR DE CIERTAS REALIDADES IMPLICA COMO UNA CONDICIÓN DE EXISTENCIA UN CIERTO TIPO DE PRODUCCIÓN COGNITIVA: 1. LA SENSIBILIDAD PERCEPTUAL ES CONDICIÓN DE POSIBILIDAD DE LA VIDA; 2. LA COMUNICACIÓN DE TRADICIONES LO ES DE LA COMUNIDAD; 3. LA REFLEXIÓN ES UNA CONDICIÓN SINE QUA NON DEL ESTADO, Y 4. LA CIENCIA, POR SU PARTE, DE LAS LLAMADAS "SOCIEDADES CIVILES".

- Hegel, George W.G.: *Fenomenología del Espíritu.* México, Fondo de Cultura Económica, 1966.

- Lorenz, Honrad y Wuketits: *La evolución del pensamiento.* Barcelona, Ed. Argos Vergara. 1984.

- Marx, Karl: *Elementos Fundamentales para la crítica de la economía política.* (Borradores 19857-1858); México, D.F., Siglo XXI, 1878.

- Mithen, Steven: *Arqueología de la mente.* Barcelona, Ed. Crítica, 1998.

- Peirce, Charles: *Obra lógico semiótica.* Madrid, Ed. Taurus, 1987.

- Samaja, Juan: "Los caminos del conocimiento". En Semiótica de la ciencia. Inédito.

- Samaja, Juan: "Aportes de la Metodología a la reflexión epistemológica". En Esther Díaz (editora): *La Posciencia. El conocimiento científico en las postrimerías de la modernidad.* Buenos Aires, Ed. Biblos, 2000.

- Samaja, Juan; Ynoub, Roxana: "Todos los métodos, el método". Inédito.

# Capítulo II. La metodología de la investigación científica

*Seguir un método es encontrar un camino, deseablemente el más adecuado, para llegar al resultado buscado.*

El término "método" proviene de dos palabras griegas: *meta* –que significa "más allá" o "fuera de"- y *hodos* –que quiere decir "camino". De manera general, puede entenderse como "plan de ruta" o "plan de acción".

Trazarse un camino significa tener un destino (hacia el cual se dirige ese camino); y un orden, una secuencia de pasos a recorrer para alcanzar dicha meta.

De modo que hay tantos *métodos* como *planes de acción* se puedan imaginar.

Así, podría hablarse de "métodos para conseguir novio o novia"; "métodos para curar el empacho"; "métodos para preparar un té"; "métodos para resolver crucigramas"; etc., etc., etc.

En este libro nos interesará hablar de un tipo de *método*, el *"método de la investigación científica"*.

Pero conviene dejar planteado de entrada que una cosa es hablar de "método de investigación" –sin más- y otra es hablar de "método de investigación científica".

Así, por ejemplo, Sherlock Holmes sigue un "método de investigación" cuando busca al culpable de un crimen. Y también lo hace una hormiga exploradora cuando sale a inspeccionar el territorio en busca de alimento.

En estos casos reconocemos que el resultado de esas investigaciones será algún tipo de *conocimiento relevante* para los involucrados en esa búsqueda investigativa (en este caso, los inspectores policiales o la comunidad de hormigas).

## LA VERDAD ESTÁ EN EL DETALLE

A fines del siglo XIX y comienzos del XX, coinciden tres distintas maneras de llegar a la verdad, que sin embargo tienen un elemento en común. El crítico italiano Giovanni Morelli descubre que hay una cantidad de cuadros famosos cuyo autor no es el que se suponía. Para llegar a esa conclusión analiza las zonas de detalles de los cuadros (la forma de pintar los cabellos, o de dibujar dedos, uñas o bordes de los vestidos) y no los grandes estilos. Según Morelli, en estos detalles es cuando el artista "descansa" de las exigencias del cuadro y deja que sea el pincel el que lo guíe. La forma de dejarse llevar por el pincel es lo que define la personalidad artística del autor. Por su parte, Sigmund Freud descubre la existencia del inconsciente a través de otro detalle, en este caso los lapsus, cuando decimos algo diferente a lo que queríamos decir. Del mismo modo, analiza la significación

de los sueños a partir de las zonas menos importantes. También para la misma época, el escritor inglés Arthur Conan Doyle daba a conocer a Sherlock Holmes, quien resolvía de manera infalible los crímenes más complicados fijándose en aquellos elementos aparentemente menores que contenían, sin embargo, las verdaderas pistas que llevaban a la solución buscada.

Estos métodos compartían entonces la convicción de que el detalle es el único camino que lleva a la verdad. Puede decirse, además, que este método es el mismo que sigue la medicina para establecer un diagnóstico. Este método llamado *abducción* está también presente en ciertas etapas de la práctica científica.

*Adaptado de "Indicios", en:* Mitos, emblemas e indicios, *de Carlo Guinzburg, Gedisa, Barcelona, 1989.*

> **Crímenes imperfectos.** *Sherlock Holmes sabía que siempre había un rastro imperceptibe que delataba al culpable.*

Sin embargo, en ninguno de estos casos hablaríamos de "métodos de investigación científica", precisamente porque el conocimiento producido no es conocimiento científico.

Decimos que un conocimiento es científico cuando los resultados alcanzados son importantes para una cierta disciplina científica, cuando surgen de problemas científicos, cuando siguen el método de la ciencia.

Como lo hemos señalado en el capítulo 1, el conocimiento científico se caracteriza por una doble vocación:

a) **de descubrimiento de nuevos conocimientos sobre aspectos regulares o generalizables y**

b) **de justificación o validación por referencia a hechos o experiencias que muestren lo adecuado de ese conocimiento.**

**Descubrir y validar** constituyen dos tareas permanentes en todo proceso de investigación. Pero entonces, ¿la ciencia sigue un único método de investigación?

Eso depende. Si por "método o metodología de la investigación científica" se entiende aquello que hace que la ciencia sea ciencia (y no magia, ni religión, ni arte, ni filosofía), entonces la ciencia tiene un solo método. Si por el contrario, se entiende por método al conjunto de acciones técnicas con las que se resuelven distintos problemas de investigación científica (por ejemplo, el uso de estadísticas, de instrumentos o de experimentos), entonces hay tantos métodos como investigaciones científicas.

En este libro adoptaremos el término método en sentido restringido, es decir en el primero de ellos, y de acuerdo con él iremos trazando el recorrido que sigue el método de la ciencia en ese contrapunto entre el *descubrimiento y la validación*.

Paralelamente, haremos referencia a algunas *técnicas* (o *metodologías* en sentido amplio) de que se sirven distintas investigaciones. Comenzaremos ese recorrido situando lo que llamaremos las "edades (o estadios) de la investigación científica".

# LAS EDADES O ESTADÍOS DE LA INVESTIGACIÓN CIENTÍFICA

La investigación científica constituye un proceso, es decir se desarrolla en el tiempo.

Ese proceso es siempre abierto, de modo tal que los resultados alcanzados en un momento se transforman en el punto de partida, en la materia prima para nuevas investigaciones.

El desarrollo de ese proceso, –que lo llevan a cabo *comunidades de investigadores*–, reconoce edades o estadios.

De manera esquemática esas edades podrían ser definidas de la siguiente manera:

a) **Edad exploratoria.**

b) **Edad descriptiva.**

c) **Edad de corroboración de hipótesis causales, o de constatación de hipótesis interpretativas.**

d) **Edad integrativa o de sistematización teórica.**

El proceso por el que un asunto o tema de investigación se va haciendo progresivamente más nítido y comprensible es semejante al proceso de revelado fotográfico. Cuando el papel fotográfico se sumerge en las sustancias químicas que hacen posible la aparición de la imagen, ésta va emergiendo progresivamente –desde tenues sombras hasta imágenes con bordes y definiciones nítidas-. Se trata de un proceso de conjunto: en las primeras etapas tenemos una aproximación borrosa, de acercamientos, mientras que a medida que vamos avanzando el asunto se torna más y más preciso.

Si una investigación aborda un tema novedoso, lo primero que tendrá que hacer es ***explorar*** el asunto. Explorar significa *indagar, revisar, rastrear, sondear… investigar.*

La exploración es la forma más básica de la investigación. Es lo que hacen, por ejemplo, una gran parte de los seres vivientes cuando se encuentran en situaciones inciertas, o cuando buscan alimento o reconocen su entorno. Pero es también lo que hace el jefe de una tropa militar cuando debe avanzar en un territorio desconocido o decidir un curso de acción posible.

Desde cierta perspectiva, es la actividad más básica del proceso de investigación. Pero al mismo tiempo es el momento en que se pone en juego el máximo de creatividad y de audacia para "encontrar algo" en aquello que se explora.

Imaginemos, por ejemplo, que queremos conocer cómo tratan el tema de la *"violencia en el fútbol"* los principales medios periodísticos del país. Supongamos también (lo cual debería justificarse luego de una extensa búsqueda bibliográfica) que nadie ha tratado el tema antes de nosotros, o, por lo menos, que nadie lo ha tratado desde la perspectiva que nosotros queremos hacerlo.

Entonces, es probable que al comienzo de nuestra investigación no tengamos mucha idea acerca de cuáles son las modalidades con las que se aborda ese tema, la importancia que tiene en los distintos medios, las "causas" y/o los "responsables" que se atribuyen a esa violencia, etc. Ésas serán entonces nuestras primeras preguntas exploratorias.

Y será necesario recorrer un "largo camino" –abriéndose paso en una suerte de selva inexplorada- hasta tanto vayan aclarándose esas cuestiones.

La etapa ***descriptiva*** supone que las cuestiones están ya más nítidas y que se pueden distinguir al menos los principales componentes que conforman esa selva que hemos explorado. La investigación dispone ya de criterios para partir de preguntas más precisas. Si, por ejemplo, la exploración del tratamiento del tema de la *violencia en el fútbol en los medios* nos permitió distinguir diferentes *tipos de posiciones ante el tema:* "posiciones de culpabilización inmediata" (a la hinchada, a los dirigentes, a los delincuentes, etc.) y "posiciones de justificación mediata" (la violencia explicada por referencia a la pobreza de la sociedad, a los valores y comportamientos que transmiten los medios de comunicación, a la falta de normas, etc.). Ahora –en una nueva etapa– será posible precisar cómo se *distribuyen* esas posiciones entre diversos medios periodísticos, qué diferencias se observan entre medios gráficos y televisivos, etc. En algunas ocasiones, la *descripción* culmina con la construcción de una ***taxonomía o un sistema clasificatorio.***

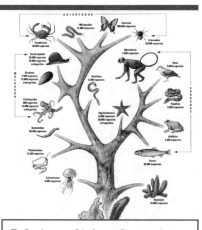

***Relaciones lógicas.*** *Los organismos animales con su número de especies vigentes y extinguidas, desde las unicelulares a los mamíferos complejos.*

## TAXONOMÍA

En su sentido más general, la taxonomía (del griego $\tau\alpha\xi\iota\varsigma$, taxis, "ordenamiento", y $\nu o\mu o\varsigma$, nomos, "norma" o "regla") es la ciencia de la clasificación. Por lo general se emplea el término para designar la taxonomía biológica, esto es, la clasificación de los seres vivos en $\tau\alpha\xi\alpha$ (taxa) o taxones que describen jerárquicamente las relaciones de similitud y parentesco entre organismos.

La **Taxonomía de Linneo** clasifica a los seres vivos en diferentes niveles jerárquicos, comenzando originalmente por el de *Reino*. Los reinos se dividen en *Filos* o *Phyla* para los animales, y en *Divisiones* para plantas y otros organismos. Éstos se dividen en *Clases*, luego en *Órdenes*, *Familias*, *Géneros* y *Especies*. Cualquier campo biológico que estudie las especies está sujeto a la clasificación taxonómica lineana, y por extensión, a sus rangos jerárquicos, particularmente si se lleva a cabo la integración de organismos vivientes con especies fósiles. Tras el rango de especie, se pueden dar también sub-rangos, tales como *subespecie* y raza en animales, y *variedad* y *forma* en botánica.

es.wikipedia.org/wiki/Taxonomía

Las dos primeras etapas –exploratoria y descriptiva– son comunes a muy distintas estrategias de investigación.

En cambio hemos denominado a la siguiente etapa de dos maneras distintas, a los efectos de dejar en claro que en algunos casos la investigación puede tener un destino estrictamente *interpretativo o hermeneútico*, mientras que en otras se pretende avanzar en la identificación de relaciones causales o eventualmente de relaciones correlacionales, pero que buscan vincular de manera causal dos fenómenos entre sí.

A los efectos de precisar la diferencia entre ambas nociones, examinemos con más detalle las diferencias que existen entre ellas.

Es claro que si uno patea una pequeña piedra, está ejerciendo una acción causal: la piedra se mueve por "efecto" de la fuerza que recibe o, lo que es lo mismo, la "causa" del movimiento de la piedra es la fuerza que le imprime la patada.

En cambio, si uno patea o pisotea una bandera (por ejemplo, la bandera del equipo de fútbol contrario, o de un país enemigo entre países en guerra) no está simplemente ejerciendo una acción física, sino que esa acción adquiere un carácter comunicacional: está comunicando algo a alguien. Está haciendo algo que tiene "sentido" (al menos lo tiene para toda la comunidad en que ese hecho puede ser interpretado como un gesto de desprecio, de humillación, etc.). Esta diferencia es de relevancia absoluta en el terreno de la investigación científica.

Una gran parte de la investigación en ciencias sociales (aunque no exclusivamente), tiene como destino final la interpretación o el desciframiento de ciertos fenómenos comunicacionales o significantes (es decir, que producen significados).

Así, por ejemplo, los antropólogos estudiaron –y estudian- los mitos de las sociedades, a los efectos de "interpretar" los sentidos que estos relatos tienen para las comunidades que los producen y los reproducen. No sólo en las sociedades más arcaicas, sino también en nuestras sociedades contemporáneas.

**No volarás.** El mito de Ícaro habla de las limitaciones humanas y de la ambición por superarlas. (Cuadro de Jacob Peter Gowy).

## SIGNIFICADO DEL MITO

Mito (< griego μύθος ['relato falso con sentido oculto, narración, discurso, palabra emotiva']) Relato tipo leyenda, que no reconoce autoría, sino que constituye una especie de saber popular que se reproduce de generación a generación en una determinada cultura. Algunas definiciones limitan su alcance a los relatos acerca de los orígenes de cualquier tipo de realidad (desde el origen del universo, de una comunidad, del ser humano, hasta el de un objeto o animal cualquiera).

Suelen estar situadas fuera del tiempo histórico y pueden involucrar a personajes divinos o con poderes y atributos especiales. En ocasiones se trata de narraciones muy incoherentes en términos de sus argumentaciones y encadenamientos lógicos, lo que hace que incurran en contradicciones, y que se torne difícil su desciframiento.

De igual modo, pueden analizarse obras de arte (pinturas, obras musicales, poesías, obras cinematográficas, etc.) a los efectos de "interpretar" o develar un nuevo sentido —latente u oculto— que subyace al sentido manifiesto de esas obras.

La misma vocación interpretativa guía también las investigaciones que se proponen conocer las *representaciones* o las *actitudes* recuperando la propia perspectiva de los actores estudiados. Por ejemplo, estudiar las reacciones de distintos estratos sociales ante la presencia de homosexuales en el terreno de la cultura popular, o la persistencia o no de los valores de la familia tradicional analizando narraciones sobre la crianza de los hijos, en grupos de padres y madres.

## VENDER UN PRODUCTO

En la investigación de mercado, por ejemplo, una empresa que vende algún producto, suele hacer –antes de desarrollar, por ejemplo, una campaña publicitaria- una investigación para indagar cuál es la actitud de sus clientes potenciales en relación a ese producto. Si se analizan los mensajes publicitarios se advertirá que el contenido de lo que transmiten varía según cuáles sean sus potenciales destinatarios: no es lo mismo vender "jabón en polvo" a mujeres que trabajan que ofertarlo a amas de casa de sectores humildes; o a hombres que comparten las tareas del hogar; o a jóvenes que viven solos. En un caso, se invocará, por ejemplo, el "poder de la blancura" (con todo el valor que lo "blanco" tiene para ciertos sectores de nuestra sociedad, como sinónimo de inmaculado, de pureza, de bondad, etc.); en otros se invocará la "tecnología"; haciendo aparecer el proceso de lavado como algo a cargo de las máquinas y de la fórmula química del producto (los potenciales compradores en ese caso, serían personas para las que el lavado ocupa un lugar secundario en sus vidas: la publicidad comunicará entonces que, mientras la tecnología se ocupa del lavado ellos pueden trabajar, hacer deportes, estudiar, divertirse, etc.).

**Tentaciones.** *La ubicación de las góndolas en un supermercado busca que el consumidor no se resista a determinados productos.*

Las investigaciones cuyo objetivo es la interpretación o desciframiento de mensajes, de discursos, de producciones culturales son investigaciones *comprehensivistas o hermenéuticas*, cuyos objetivos se encaminan a la identificación de esos sentidos no manifiestos o no evidentes.

## HERMENÉUTICA

Por *hermeneútica* se entiende el "arte de explicar, interpretar" (del griego εϱμηνευτιϰή τέχνη, *hermeneutiké tejne*). El vocablo probablemente proviene del dios "Hermes" de la mitología griega. Era un mensajero que comunicaba el mundo divino con el mundo humano y en tal sentido su tarea estaba sin duda vinculada al desciframiento de mensajes.

Otros dicen que el término *hermenéutica* deriva del griego "*ermeneutike*", que significa "ciencia", "técnica" que tiene por objeto la interpretación de textos religiosos o filosóficos, especialmente de las Sagradas Escrituras.

**Cartero celestial.** *El dios griego Hermes era el encargado de llevar los mensajes desde el mundo de los dioses al mundo de los humanos.*

En lo que respecta a las ***investigaciones explicativas***, constituyen investigaciones que precisamente pretenden establecer algún tipo de relación "causal" (o de tipo causal) entre fenómenos.

Un tipo de investigación explicativa es la llamada "investigación experimental". Se llaman experimentales porque se basan en el diseño de experiencias implementadas bajo condiciones creadas y controladas por el investigador. Los experimentos pueden hacerse para estudiar fenómenos naturales y también para estudiar fenómenos humanos.

## VIRTUDES DEL CATCH

**Un dolor espectacular.** *En el catch importa más lo que se ve y se imagina que los golpes que ocurren en la realidad.*

La virtud del catch consiste en ser un espectáculo excesivo. En él encontramos un énfasis semejante al que tenían, seguramente, los teatros antiguos. Además, el catch es un espectáculo de lugar cerrado, pues lo esencial del circo no es el cielo, sino el carácter compacto y vertical de la superficie luminosa; desde el fondo de las salas parisienses más turbias, el catch participa de la naturaleza de los grandes espectáculos solares, teatro griego y corrida de toros; aquí y allá una luz sin sombra elabora una emoción sin repliegue... El catch no es un deporte, es un espectáculo: y no es más innoble asistir a una representación del dolor en el catch que a los sufrimientos de Arnolfo o Andrómaca... Al público no le importa para nada saber si el combate es falseado o no, y tiene razón; se confía a la primera virtud del espectáculo, la de abolir todo móvil y toda consecuencia: lo que importa no es lo que se cree, sino lo que se ve... Dicho de otra manera, el catch es una suma de espectáculos, ninguno de los cuales está en función del otro: cada momento impone el conocimiento total de una pasión que surge directa y sola, sin extenderse nunca hacia el coronamiento de un resultado.

Extraído de Roland Barthes, *Mitologías*, Siglo XXI, 1980.

Así, por ejemplo, si quiere probarse la superioridad de un cierto "método de enseñanza A" (factor *explicativo*) en el "aprendizaje de una materia" (factor *explicado*), será necesario someter a un grupo de estudiantes al dictado de la materia con el "método A" y a otro grupo (u otros grupos) con otro método (u otros métodos). Ahora bien, lo que interesa averiguar luego es si los estudiantes que recibieron su formación con el método A tuvieron iguales, mejores o peores rendimientos que los restantes estudiantes. Para ello, habrá que garantizar que la manera en que se midió el rendimiento en cada caso es la misma que se enseñó a cada grupo los mismos contenidos, y –lo más difícil aún- que todos los grupos eran semejantes en cuanto a otro conjunto de factores que potencialmente podrían explicar las diferencias en sus rendimientos (como por ejemplo, su nivel de inteligencia, sus conocimientos previos sobre la materia, sus condiciones emocionales en el proceso de aprendizaje, etc.).

Dado que profundizaremos en esta cuestión más adelante, sólo interesa ahora señalar que cualquiera sea la estrategia que guíe el trabajo investigativo (hermenéutica o explicativa) es posible reconocer que en ambos casos, el *proceso de investigación* recorre una secuencia que va desde una primera fase o etapa exploratoria, una segunda fase descriptiva (en la que se profundiza la exploración y se precisan los elementos encontrados) para avanzar luego hacia la constatación explicativa o la interpretación propiamente dicha.

En cuanto a la etapa de **_sistematización teórica,_** interesa señalar que cuando un proceso de investigación va madurando (cuando llega a sus años de adultez) se van consolidando progresivamente los conocimientos acumulados, se va fortaleciendo su capacidad de explicar o comprender un cierto tema. En ese momento es frecuente encontrar *tratados* u obras cuyo objetivo es presentar de manera ordenada, sistemática, los resultados alcanzados a lo largo de todos los estadios recorridos.

Los temas que forman parte de la enseñanza escolar (en todos sus niveles) son ejemplos de estos procesos consolidados de investigación científica: en química estudiamos los resultados de muy distintos investigadores (Lavoiser, Galton, Boyle, etc.), en física los resultados de otros tantos (Newton, Torricelli, etc.), en ciencias sociales lo mismo (Weber, Marx, Durkheim, etc.). Los manuales de texto transmiten los resultados de investigaciones y hallazgos bien consolidados, muchos de los cuales hicieron posible la conformación de disciplinas y/o de escuelas.

De cualquier modo, es importante advertir que ese proceso de sistematización no siempre se resume en una única obra (como por ejemplo *Los Principios Matemáticos* de Newton) ni siempre es resultado de un solo autor. Como lo hemos señalado, la ciencia es asunto de "comunidades de investigadores" y aunque hay nombres que sobresalen porque en ellos se sintetizan grandes aportes, lo cierto es que son esas comunidades las que hacen posible la consolidación de una escuela o disciplina científica.

## CIENCIA CLÁSICA

En los *Philosophiae Naturalis Principia Mathematica*" ("Principios matemáticos de la **Filosofía Natural**"), obra publicada por Isaac Newton en 1687, se sistematiza y presenta todo el desarrollo de su labor investigativa en el campo de la matemática, la física, la astronomía.

No sólo constituye el hito fundacional de la física clásica, sino que además marcó un punto de inflexión en la historia de la ciencia.

En esta obra, Newton enuncia sus famosas tres leyes: **Primera ley**: Todos los cuerpos perseveran en su estado de reposo o de movimiento uniforme en línea recta, salvo que se vean forzados a cambiar ese estado por fuerzas impresas. **Segunda ley**: El cambio de movimiento es proporcional a la fuerza motriz impresa, y se hace en la dirección de la línea recta en la que se imprime esa fuerza. **Tercera ley**: Para toda acción hay siempre una reacción opuesta e igual. Las acciones recíprocas de dos cuerpos entre sí son siempre iguales y dirigidas hacia partes contrarias.

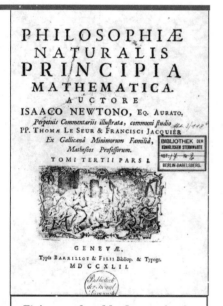

***Física perdurable.*** *La gran obra de Isaac Newton, publicada hace más de 300 años, dominó la ciencia hasta mediados del siglo pasado.*

El método de la ciencia se desarrolla entre el DESCUBRIMIENTO (formulación de hipótesis) y la VALIDACIÓN (constatación o puesta a prueba) a lo largo de un proceso de creciente enriquecimiento cognitivo. En este proceso se pueden identificar las siguientes edades (o estadíos):

- **Exploratoria**
- **Descriptiva**
- **Constatación de hipótesis causales o interpretativas**
- **Integrativas o de sistematización**

- Díaz, Esther: *Metodología de las ciencias sociales*. Buenos Aires. Biblos. 1997.
- Lakattos, I: *La Metodología de los Programas de Investigación*. Alianza. Madrid. 1983.
- Popper, Karl R.: *La lógica de la investigación científica*. Madrid. Tecnos.1973.
- Samaja, Juan: *Epistemología y Metodología. Elementos para una teoría de la Investigación científica*, Buenos Aires, EUDEBA. 1993.
- Samaja, Juan: *Proceso, diseño, proyecto*, Buenos Aires, JVE
- Samaja, Juan: *Semiótica y dialéctica. Parte I*, Buenos Aires, JVE, 2000.

# Capítulo III. El problema a investigar

*Estar en problemas no es lo mismo que "tener" problemas:*
*lo bueno de "saber que no sabemos"*

Es habitual que en el último año del colegio, e incluso antes, se pongan en marcha una serie de actividades destinadas a recolectar fondos para pagar el viaje de egresados. Al tomar conocimiento del costo de este viaje, la primera sensación es la de no saber si habrá posibilidades reales de reunir el dinero necesario para que todo el grupo pueda viajar. Antes de ponernos en marcha, es claro que estamos en problemas y que aún no sabemos cómo solucionarlos.

Tomar nota de que se está en problemas puede ser un hecho angustioso en algunas ocasiones, pero constituye el primer paso para hacer algo con lo que nos pasa. Cuando uno tiene la posibilidad de advertir el problema, cuando puede darse cuenta de que está en problemas, o bien encuentra la solución y por lo tanto ya no tiene el problema, o bien no encuentra o no dispone de una solución, pero al menos "sabe que no sabe".

La posibilidad de llegar a este punto fundamental −saber que no se sabe- implica que el conocimiento avanza únicamente cuando se pueden formular *nuevos interrogantes*: si se encuentran nuevas preguntas se ha advertido un problema allí donde otros aún no lo veían (o no se habían percatado de su propia ignorancia). En nuestro caso, el viaje de egresados, la posibilidad de cumplir con el objetivo pasa, por ejemplo, en averiguar cuáles han sido las estrategias de otros grupos para juntar el dinero. Allí comienza el camino hacia la solución.

**Modos de aprender.**
*Jean Piaget descubrió que la mente infantil recorre ciertos pasos fijos en el aprendizaje.*

## ERRORES DE NIÑOS

Jean Piaget −biólogo, psicólogo, epistemólogo del siglo XX- trabajaba realizándole *test de inteligencia* a niños/as de distintas edades. Estos *test* medían los niveles de inteligencia de los chicos, según su respuesta a distintos ítems o pruebas. Piaget advirtió algo en lo que nadie había reparado antes que él: los niños se equivocaban y fracasaban de manera muy sistemática y regular. Cometían errores muy parecidos según sus edades o etapas vitales. Esto lo llevó a pensar que había algo interesante en los errores: algo que no era sólo negativo, sino que mostraba un rasgo característico en el desarrollo de la inteligencia humana. A partir de allí decidió que lo que debía estudiarse no eran ciertos resultados esperados y prefijados, sino el proceso real de desarrollo de la inteligencia del ser humano. Efectivamente, el resultado de sus investigaciones mostró que la inteligencia humana pasa por una serie de estadios que se repiten en la mayoría de las personas, cada uno de los cuales funciona de acuerdo a pautas o lógicas diferentes.

# La vida como un eterno proceso de identificar y resolver problemas

Entendemos por problema toda "experiencia de fracaso, limitación, ausencia o inadecuación en aras del logro de algún fin". Para decirlo en otras palabras, aquella situación en la que sentimos que no podremos lograr lo que nos proponemos.

Si la vida transcurre por caminos relativamente estables, cuyos ciclos y rutinas forman parte de *habitualidades* ya adquiridas, no percibimos que haya problemas. Pero si esas habitualidades se interrumpen, o si no estamos en condiciones de alcanzar un objetivo que nos hemos propuesto, diremos que nos encontramos en problemas.

En nuestra vida cotidiana hay miles de ejemplos de problemas, algunos de lo más triviales: "debo llegar a un cierto lugar y no conozco el camino"; "el sueldo no alcanza para llegar a fin de mes"; "la chica o el chico que me gusta está de novio/a con otro".

Así definidos, los problemas no son privativos de la vida humana. Otros seres vivos pueden, eventualmente, verse ante la circunstancia de tener que enfrentar o resolver problemas (un animal necesita alimentarse y el alimento no está disponible o hay otro competidor en su mismo entorno).

No sucede lo mismo con los seres inanimados (seres sin fines, sin metas): para ellos no hay ninguna distancia ***entre lo que son y lo que desean o deben ser*** y por lo tanto no esperan… no buscan… no se proyectan…; es decir, no experimentan ninguna carencia, y por lo tanto no enfrentan problemas.

De acuerdo a esto, los tipos de problemas varían tanto como varían las circunstancias vitales de los seres que los experimentan. Este reconocimiento se deriva del punto anterior: si los fines (o los "seres con fines") se diversifican o diferencian, como consecuencia se diferencian los tipos potenciales de problemas que estos seres deben enfrentar.

En el capítulo 1, tuvimos ocasión de revisar las distintas formas en que se presentan los problemas y los diferentes caminos de búsqueda (o de investigación) que pueden seguirse para afrontarlos. Aquí nos interesará situar con mayor detalle cuáles son los rasgos que distinguen a los ***problemas científicos*** de otros modos de enfrentar y plantear problemas que tienen los seres humanos.

## Los problemas de investigación científicos como un tipo particular de problemas

Un problema surgido de la práctica cotidiana, puede, bajo ciertas circunstancias, transformarse en problema científico. Así, por ejemplo, un problema de nuestra vida cotidiana como las dificultades para trasladarse por la ciudad en las llamadas "horas pico" puede ser tema de reflexión para el "planificador urbano". Y puede transformarse en un problema abordable científicamente si se utilizan criterios basados en teorías y/o modelos científicos para examinarlo y eventualmente resolverlo. Por ejemplo, el problema de la *saturación del flujo vehicular* podría estudiarse en base a modelos matemáticos que brinden soluciones derivadas de esos modelos, aplicables luego para la planificación urbana (como por ejemplo, criterios para aprovechar al máximo la red de caminos disponibles, para diseñar nuevos y más adecuados trazados, para fijar ciertas reglas para la circulación, etc.).

Es necesario distinguir, sin embargo, lo que podríamos llamar *"problemas prácticos"* de los *problemas de conocimiento*. Toda investigación de tipo científica arroja como resultado algún tipo de *conocimiento*.

Alguien puede "resolver" muy bien un cierto problema práctico y, sin embargo, no saber dar cuenta, ni justificar, ni explicar cómo, ni en base a qué principios, pudo resolverlos. Éste es un rasgo que distingue el *saber técnico* del *saber científico*.

La mayoría de los problemas que aborda la ciencia se derivan de manera más o menos directa de problemas de orden práctico, tal como lo hemos definido en el capítulo 1: todo problema de conocimiento, y todo problema de conocimiento científico, constituye una búsqueda para ampliar nuestro modo de resolver los problemas que nos plantea la vida en sus múltiples dimensiones.

Sin embargo, la práctica científica constituye una dimensión de la práctica social que tiene su propia autonomía relativa. Una gran parte de los problemas que nutren la investigación científica se derivan de la propia práctica científica.

Así sucede, por ejemplo, cuando los investigadores encuentran fenómenos que no pueden ser explicados o comprendidos en base a los modelos o las teorías científicas disponibles; cuando dos teorías opuestas parecen poder explicar simultáneamente un mismo fenómeno; cuando una cierta evidencia empírica contradice los fundamentos de una teoría bien establecida, etc.

**En malas manos**. *Charcot sostiene a una mujer con síntomas de histeria ante un público masculino.*

### ORÍGENES DE LA HISTERIA

Sigmund Freud era un muy buen neurólogo —y trabajaba con otro especialista igualmente importante llamado Charcot—. Ambos estudiaban y atendían a pacientes que padecían cierto tipo de trastornos de origen nervioso, que se traducían en manifestaciones somáticas como la parálisis de partes de sus cuerpos. La ciencia neurológica disponía de un modelo del sistema nervioso según el cual se explicaban esas parálisis: se podía constatar que existían conexiones entre la zona somática afectada y ciertas áreas del sistema nervioso central que funcionaban defectuosamente. Ahora bien, Sigmund Freud comenzó a detectar que ciertas pacientes (eran mayoritariamente mujeres) presentaban parálisis que no se correspondían con los modelos y las representaciones de las ciencias neurológicas, ya que las partes afectadas por las parálisis no eran las esperables, de acuerdo a la idea que se tenía entonces del sistema nervioso. O esos modelos teóricos estaban equivocados, o estas pacientes no sufrían realmente de afecciones neurológicas, pese a que sus síntomas parecían decir lo contrario. Sigmund Freud estaba detectando un **problema en el campo de la investigación científica.** De acuerdo al marco teórico que luego desarrollaría –que recibió el nombre de **psicoanálisis**- estas parálisis no eran causadas por una lesión anatómica o un trastorno de la fisiología del sistema nervioso, sino que eran consecuencia de ciertos trastornos de orden estrictamente psicológicos; eran somatizaciones. En ese momento Freud consideró que estos síntomas correspondían a un cuadro psicopatológico característico que llamó **histeria de conversión.** ◼

El ejemplo del recuadro y otros en el mismo sentido tienen que ver con situaciones muy especiales y **excepcionales** en el quehacer científico. Constituyen momentos de verdaderas transformaciones en los modelos que sustentan una disciplina científica, profundos cambios en las maneras de pensar y en la manera de resolver problemas.

La mayor parte del tiempo, la investigación científica avanza dentro de los marcos bien establecidos de teorías científicas, y sus preguntas y sus problemas se derivan de ellos y se resuelven y se abordan desde ellos. A estos períodos se los llama *períodos de ciencia normal.* Dentro de estos períodos, sin embargo, pueden reconocerse diferentes etapas entre investigaciones *más o menos innovadoras, más o menos creativas.*

Estas diferentes etapas pueden definirse según los siguientes criterios:

**a. Investigaciones que reproducen investigaciones realizadas por otros.**

**b. Investigaciones que reproducen investigaciones de otros, pero aplicadas a universos distintos a los estudiados originariamente.**

**c. Investigaciones que amplían el cuerpo de interrogantes de investigaciones o tradiciones ya consagradas –pero siempre ajustándose a los mismos presupuestos o paradigmas imperantes.**

**d. Investigaciones que crean o modifican sustancialmente los presupuestos de base existentes en un cierto dominio disciplinario.**

**e. Investigaciones que abren un nuevo campo o asunto de investigación.**

El grado de menor innovación sería lo que se llama *estudios de replicación.* En ese caso se investiga exactamente lo mismo que han investigado otros, con el sólo propósito de reforzar y confirmar los hallazgos de esas investigaciones, ***reproduciendo*** la misma investigación en otros grupos u otras muestras. Así se hace, por ejemplo, en estudios que se realizan simultáneamente en varios lugares del mundo, cuando se quiere probar una droga, un método terapéutico, etc. A pesar de ser poco innovador, este tipo de estudios constituye un paso necesario en el proceso de consolidar resultados de investigaciones.

Se puede también investigar el mismo asunto estudiado por otros, pero modificando sutilmente las características del grupo o la muestra estudiada. En este caso se trata de evaluar si esos cambios no afectan los resultados hallados en otros estudios. Por ejemplo, en la investigación destinada a probar los efectos de una cierta terapéutica, se eligen pacientes con un perfil específico (por ejemplo, mal nutridos o con distintos estadios de la enfermedad que padecen o están sometidos a ciertos factores particulares como estrés, contaminación ambiental específica, etc.).

Un grado de mayor innovación sería el caso en que se trabaja sobre el mismo asunto abordado por otras investigaciones, pero modificando algún aspecto relevante en la manera de tratarlo o concebirlo. Así, por ejemplo, un grupo de investigación podría probar nuevas terapéuticas para el tratamiento de la misma patología sin modificar sustancialmente el enfoque o los supuestos teóricos que sirven de fundamento a las terapéuticas tradicionales.

O, por el contrario, y como un grado que se aproxima al máximo de la innovación científica, esas nuevas terapéuticas podrían estar basadas en criterios menos próximos a los que sustentan las terapias ya existentes. Eso ocurre, por ejemplo, en los nuevos tratamientos que la medicina está probando frente a algunas patologías, en las que se trabaja con los aportes de novedosas concepciones provenientes de la biología molecular (terapéuticas en base a ciertos procedimientos de manipulación genética).

Igualmente innovador es el caso de las investigaciones que abordan nuevas problemas de investigación. Es decir, que identifican un asunto de investigación allí donde otros no lo advertían, o donde no se advertía la posibilidad de tratarlo como asunto de investigación científica.

Por ejemplo, desde ciertas vertientes de la *antropología* se ha comenzado a estudiar un fenómeno denominado por los investigadores *"tribus urbanas"*. El concepto de *"tribu"* tiene una larga tradición en las ciencias antropológicas y se usa para definir un tipo de formación social propia de sociedades muy primitivas. Sin embargo, esta nueva denominación (la *tribu urbana*) se utiliza para referirse a un fenómeno que se observa en las sociedades altamente desarrolladas y diversificadas, que consiste en la aparición de micro-culturas, con características que permiten emparentarlas con las formaciones de tipo "tribal".

Actualmente el fenómeno de las *tribus urbanas* es abordado desde la perspectiva de la *psicología social, la etología, las ciencias de la comunicación y la semiótica, la sociología, etc.*

## TRIBUS URBANAS

Las tribus urbanas componen una gran parte de las agrupaciones casi siempre juveniles en las que la gente se relaciona en su tiempo libre o simplemente por su modo de vida. Se caracterizan por mantener una estética canónica entre varios individuos de la misma tendencia y suelen estar acompañadas por fuertes convicciones sociopolíticas, creencias religiosas o de carácter místico, dependiendo del movimiento o tribu urbana al que se pertenece.

http://es.wikipedia.org/wiki/Tribu_urbana

***Modos de pertenecer.*** *Una integrante de una tribu gótica con su maquillaje y sus vestimentas que buscan transmitir terror.*

## PREGUNTAS Y ETAPAS

De igual modo, las preguntas de investigación científica serán distintas según sean las "edades que transita la investigación" (ver Cap. II). No es lo mismo una pregunta en la fase o edad *exploratoria* que en la etapa de *constatación o puesta a prueba de hipótesis*.

En el primer caso, tendríamos preguntas destinadas a indagar *rasgos o características* del fenómeno que interesa conocer, aunque sin precisar cuáles son los aspectos relevantes, cómo se presentan, etc.; mientras que en el segundo, una fase descriptiva, ya dispondríamos de dichos rasgos, con lo que resultaría posible avanzar en las comparaciones, en la comprobación de las posibles correlaciones o relaciones de causalidad entre diferentes fenómenos o incluso intentar algún tipo de explicación para su existencia o su funcionamiento.

Supongamos que estamos interesados en conocer cómo se modifica un mensaje a medida que pasa de un receptor a otro; en ese caso podríamos comenzar preguntando:

*¿Cómo se reproduce la información recibida: qué elementos cambian del contenido, y qué elementos de la forma del mensaje? ¿a partir de cuántas reproducciones se transforma sustancialmente el mensaje? ¿existen elementos que permanecen constantes?*

Si luego de las fases *exploratorias y descriptivas* hemos identificado, por ejemplo, una "pauta o patrón de transformación" para determinado tipo de mensajes, podríamos, por ejemplo, estudiar luego las relaciones entre esos "patrones" y las diversas circunstancias que nos permitan poner a prueba con más precisión el fenómeno descripto. En ese caso, podríamos preguntarnos, por ejemplo:

*¿Qué diferencias se observan en la pauta de variación según sea el sexo del emisor y receptor del mensaje? o según sean las relaciones de «subordinación/jerarquía entre ambos; o según sea la extensión del mensaje.*

En síntesis: cualquiera sea el grado de innovación y cualquiera sea la edad que transita una investigación, sus problemas tendrán al menos algo en común: todos serán problemas de investigación de tipo científico y en tanto tales, se ajustarán a las reglas que dicta el método de la ciencia. Ahora examinaremos algunas recomendaciones derivadas de esas reglas.

## *«SER O NO SER»* UN PROBLEMA DE INVESTIGACIÓN ABORDABLE CIENTÍFICAMENTE

Aquí precisaremos las características o los atributos que definen a la formulación de problemas de investigación de tipo científico, para diferenciarlas de otro tipo de formulaciones que no resultan adecuadas para su abordaje con el método de la investigación científica.

Aunque propondremos algunos criterios metodológicos, es importante aclarar desde ya que a la hora de formular *problemas de investigación* la mayor importancia debe adjudicarse a:

a. la *imaginación y la creatividad* del investigador/a (o el grupo de investigación).

b. la *motivación, el interés o la pasión* con que esos investigadores se involucran en sus problemas.

c. La *relevancia o el interés social y/o científico* del problema abordado.

En lo que respecta al primer punto, es importante recordar que la imaginación y la creatividad se alimentan con modelos, con tradiciones, con conocimiento. Cuánto más variados sean los conocimientos que se tienen sobre un tema, más elementos de juicio y más capacidad se tienen también para recrear lo "ya sabido" en ese campo.

Pero además, dado que *crear es unir, vincular, relacionar* de manera novedosa los elementos que conforman una cierta manera de percibir, de pensar, de comprender una realidad dada, las creaciones más interesantes se logran cuando se pueden "exportar" modelos de un campo a otro, de un dominio a otro.

En lo que respecta al segundo punto, no caben dudas de que las cosas más importantes de la vida –de un individuo y de la humanidad toda- han implicado, para bien o para mal, grandes *pasiones*. La pasión es un sentimiento usualmente opuesto a la razón. Fue Pascal quien de manera más enfática enfrentó ambas dimensiones del alma humana. Aquello de que "el corazón tiene razones que la razón no conoce".

Sin embargo, la pasión constituye también un impulso vital que estimula todo aquello que se hace con especial fervor, interés, motivación, y por lo tanto no está necesariamente divorciado de la razón.

Por supuesto que las pasiones pueden dar lugar a acciones descontroladas y a fuerzas destructivas. Pero eso no quita que con ellas se puedan impulsar también acciones creadoras como las que motivan la investigación científica.

Es frecuente en los relatos biográficos de la historia de la ciencia, la imagen del investigador como un ser apasionado por sus preguntas, por sus búsquedas, por sus intereses intelectuales.

Uno de los más célebres –aunque no se sabe si los detalles que se cuentan son del todo ciertos– es el que narra las circunstancias en las que Arquímedes encontró la muerte.

## LA MUERTE DE ARQUÍMEDES

A pesar de las órdenes del cónsul Marco Claudio Marcelo de respetar la vida del sabio, durante el asalto un soldado que lo encontró abstraído en la resolución de algún problema, quizá creyendo que los brillantes instrumentos que portaba eran de oro o irritado porque no contestaba a sus preguntas, lo atravesó con su espada causándole la muerte. Otros datos dicen que, haciendo operaciones en la playa, unos soldados romanos pisaron sus cálculos, cosa que acabó en discusión y su muerte por parte de los romanos. Se dice que sus últimas palabras fueron "no molestes a mi círculos".

es.wikipedia.org/wiki/Arquímedes

*El saber ante todo. Arquímedes murió a manos de las tropas romanas que amenazaban destruir sus cálculos.*

Por supuesto, no pretendemos sugerir que se deba arriesgar la vida para desarrollar un tema de investigación. La anécdota sobre Arquímedes habría que considerarla más como un mito que como un dato de la realidad (incluso con independencia de lo fiel que sea en cuanto los hechos efectivamente sucedidos). Lo que nos dice es que la investigación científica constituye también un asunto de *pasión y de entrega*. Es probable que ese ingrediente pasional constituya parte del don que acompaña o hace posible el genio creador. Se sabe que el Premio Nobel argentino Luis Federico Leloir trabajaba, en parte por falta de fondos, sentado en un incómodo banquito que le permitía llegar hasta su alto escritorio. De manera más modesta, alcanza con reconocer que para realizar un trabajo de investigación resulta muy importante el compromiso o el interés que un investigador sienta con respecto al asunto de investigación elegido. Como ocurre en todos los órdenes de la vida, el interés con el que se realice algo redunda en la profundidad, la riqueza e incluso en el placer que brinda esa realización. Finalmente, interesa señalar que los *problemas de investigación* reconocen grados diferentes de relevancia. Sobre este punto volveremos en el último capítulo. Por lo que aquí respecta, alcanza con señalar que es deseable que el problema tenga que ver con situaciones vitales de la sociedad en la que trabajan los/as investigadores/as y/o con las problemáticas que resultan relevantes en el contexto de una tradición investigativa. Ambas dimensiones no son excluyentes. Por el contrario, suelen coincidir en la gran mayoría de los casos. Es necesario distinguirlas, sin embargo, porque, como lo hemos señalado previamente, los problemas de investigación científica no siempre están directamente vinculados a los problemas de la vida social. Así, por ejemplo, las investigaciones que se proponen hoy en determinadas áreas de la biología molecular pueden estar motivadas en los propios avances de esa disciplina. Sin embargo, esos avances pueden haber sido, en su momento, inducidos para la solución de problemáticas de aplicación directa (como por ejemplo, el desarrollo de terapéuticas medicinales) y, de igual modo, sus resultados pueden aplicarse a la práctica médica. Hechas estas aclaraciones, nos detendremos ahora en el análisis de algunos criterios metodológicos que pueden tenerse en cuenta para la formulación de problemas de tipo científicos, que podrían definirse también como criterios de **_pertinencia_**.

Decimos que una pregunta de investigación es pertinente si:

- la respuesta a ella arroja como resultado *algún tipo de conocimiento (o conocimiento científico) no disponible previamente* (es decir, inexistente antes de que se realizara la investigación);

- se formula de tal manera que pueda ser refutada en *el marco de una experiencia posible*, es decir, de manera empírica;

- resulta *relevante en el marco de problemas o desafíos de conocimiento* que se deriven, se integren o eventualmente cuestionen algún cuerpo de conocimientos teóricamente fundado (es decir, inscripta en alguna tradición de investigación, disciplina o práctica científico-profesional).

A los efectos de evaluar estas cuestiones, analizaremos un conjunto de situaciones en las que *las formulaciones de las preguntas atentan contra la pertinencia de los problemas de investigación*.

Las siguientes son algunas de ellas:

a. preguntas que implican "juicios de valor".

b. preguntas de información o falsas preguntas.

c. preguntas que apuntan a alguna forma de intervención.

d. preguntas filosóficas y/o sobre causas últimas o primeras.

e. preguntas que suponen escenarios o situaciones no accesibles, no controlables por o para la investigación.

**a.** *Preguntas que implican juicios de valor*

Las siguientes preguntas constituyen ejemplos de formulaciones que implican juicios de valor (y que como tales no constituyen preguntas pertinentes como pregunta de investigación):

> *"¿Es buena la atención hospitalaria?"*

> *"¿Es aceptable que la gente exhiba su vida privada por televisión?"*

Responder a este tipo de preguntas (siempre que se mantengan en los términos en que están planteadas) requiere asumir un juicio de valor acerca de lo que debe considerarse como *"buena atención"*, o *"aceptable"*.

**Toda investigación está fundamentada en valores.** Y sería válido desarrollar un trabajo de investigación motivado en interrogantes como los que hemos planteado.

Pero una cosa es reconocer los valores que fundan una investigación y otra es considerar a esos valores como asunto de investigación.

En la escritura de un Proyecto de Investigación suele pedirse que se expliciten los fines que la motivan –usualmente en un apartado denominado *"Propósitos"* o también en la *"Justificación"* del tema que se quiere investigar (se dirá por ejemplo que el propósito de una investigación es "Contribuir a… o "Aportar elementos de juicio para mejorar la acción de…").

Ahora bien, estos fines, valores o propósitos de la investigación no constituyen estrictamente su asunto u objeto. Como ya lo hemos adelantado, las preguntas de investigación apuntan a la producción de un conocimiento; ese conocimiento puede estar al servicio de –o motivado por- un fin o un valor; pero es necesario distinguir con claridad ambas cuestiones.

Por ejemplo, una investigación motivada por el deseo de saber *"si es aceptable que la gente muestre su vida privada por televisión"* podría formular problemas del siguiente tipo:

> *"¿Qué tipo de información buscan las personas que eligen ver a otros mostrando su vida privada? ¿Ese interés se verifica de la misma manera en distintos estratos sociales? ¿Qué grado de presencia y de aceptación tienen los programas que muestran la vida privada en relación a otro tipo de programas?*

La respuesta a estas preguntas (que como tales aportan conocimiento) podrían sin duda arrojar elementos de juicio para valorar la validez de la exhibición de la vida privada y las medidas que eventualmente regulen la programación y limiten o no lo que pueda mostrarse por televisión.

En síntesis, existe una íntima vinculación entre aspectos valorativos y aspectos investigativos, pero ambas dimensiones deben discriminarse al momento de formular las preguntas de investigación.

*Ciencia en Hollywood. Afiche de la película sobre la vida de Pasteur, filmada en 1936 y protagonizada por Paul Muni.*

## PASTEUR Y LOS MICROBIOS

El químico francés Louis Pasteur emprendió una serie de experimentos diseñados para hacer frente a la cuestión de la procedencia de microorganismos en la naturaleza. ¿Se generaban de forma espontánea en las propias sustancias o penetraban en ellas desde el entorno? Pasteur llegó a la conclusión de que la respuesta era siempre la segunda. Sus descubrimientos dieron lugar a un fuertes debates con biólogos y médicos, quienes mantenían que, en las condiciones apropiadas, podían darse casos de generación espontánea. Estos debates, que duraron hasta bien entrada la década de 1870, dieron un gran impulso a la mejora de las técnicas experimentales en el campo de la microbiología. Los trabajos de Pasteur sobre la fermentación y la generación espontánea tuvieron importantes consecuencias para la medicina, ya que Pasteur opinaba que el origen y evolución de las enfermedades eran análogos a los del proceso de fermentación. Es decir, consideraba que la enfermedad surge por el ataque de gérmenes procedentes del exterior del organismo, del mismo modo que los microorganismos no deseados invaden la leche y causan su fermentación. Este concepto, llamado teoría microbiana de la enfermedad, terminó por servir para explicar las causas de muchas enfermedades.

**b.** *Ejemplos de falsas preguntas de investigación*

> *"¿Los jefes/as de hogares con necesidades básicas insatisfechas tienen menor nivel educativo que el resto de la población?"*
>
> *"¿Cuál es el índice de desocupación de la población de Lanús?"*
>
> *"¿Cuánto creció la población mundial en los últimos diez años?"*

Desde el punto de vista formal (como lo veremos seguidamente) este tipo de preguntas podrían considerarse buenas preguntas de investigación. Sin embargo, si se las analiza por sus contenidos, pueden considerarse "falsas preguntas" ya sea porque se las puede contestar accediendo a información ya disponible, o porque su respuesta repite los presupuestos en que se basa la pregunta, es decir que lleva a una tautología.

Por ejemplo, si en la definición de "hogares con necesidades básicas insatisfechas" se ha considerado el nivel de escolaridad del jefe/a (tomando en cuenta que serán hogares con necesidades insatisfechas todos aquellos que –entre otros factores- tuvieran a sus jefes o jefas con bajo nivel de escolaridad) es esperable entonces que ambos conceptos estén relacionados entre sí: lo que se investiga es una característica implícita contenida en el sujeto (o dicho de otro modo, "nivel de pobreza" y "nivel educativo" *funcionan como si fueran* el mismo asunto –o lo que luego llamaremos la misma "variable"–.

En otros casos, puede tratarse de una pregunta cuya respuesta se encuentra accediendo a alguna fuente que dispone del dato o la información requerida.

Si así fuera, esa información constituye un presupuesto, o un elemento a tener en cuenta al momento de justificar y encuadrar las preguntas más importantes de la investigación. Pero no un problema de esa investigación (recordemos que uno de los criterios de pertinencia de los problemas de investigación era que arrojaran un conocimiento no disponible antes de realizada la investigación).

Si el "índice de desocupación de Lanús" puede consultarse en una fuente estadística o en un medio de prensa (confiable), entonces uno no ha hecho una investigación, sino que ha recogido una información (información que seguramente es el resultado de una investigación realizada por otro –como la oficina de Estadísticas o un centro de estudios o de investigación–.

**c.** *Formulaciones que se orientan a la intervención*

> *"¿Cómo garantizar el acceso a la atención sanitaria de las personas con bajos recursos?".*
>
> *"¿Qué mecanismos de difusión pueden implementarse para promover campañas de prevención de las adicciones?"*

Se trata de formulaciones que apuntan a cuestiones de implementación práctica; pero que no constituyen preguntas de investigación en sentido estricto.

Sin duda podrían formularse preguntas de investigación cuyos resultados o respuestas contribuirían a orientar las acciones o la intervención. Por ejemplo, para el primer caso, podrían plantearse preguntas como las siguientes:

> *"¿Qué cambios se observan en la posibilidad de acceder a los recursos de atención sanitaria de un determinado sector socioeconómico cuando se implementa el plan Y (de promoción asistencial en salud mental)?"*

Para responder a esta cuestión es necesario evaluar el mismo sector antes y después de la implementación del "Plan Y", en términos del uso y acceso a dichos recursos para la atención en salud. Podría también formularse la pregunta de manera tal de comparar dos poblaciones semejantes (en términos de sus niveles socioeconómicos) a los efectos de evaluar las diferencias que se registran entre la que recibe el plan de promoción y la que no lo recibe.

En cualquier caso se trata del mismo asunto: lo que interesa marcar es la diferencia en la forma de preguntar y las consecuencias que se siguen de una u otra formulación.

La respuesta a una pregunta de intervención es una *acción* o un *plan de acción*; la respuesta a una pregunta de investigación es un *conocimiento* (que puede ser de utilidad para la toma de decisiones y la acción, pero que en sí mismo no es una acción).

La llamada *"investigación-acción"* combina estos dos momentos. Pero, aunque sean las mismas personas las que investigan (diagnostican), toman decisiones y actúan, es importante distinguir desde el punto de vista formal -y real- las distintas obligaciones y procesos (operacionales y cognitivos) implicados en cada uno de esos momentos.

**d.** *Preguntas filosóficas y preguntas sobre causas últimas y primeras*

Las preguntas de investigación deben distinguirse también de las preguntas que motivan la reflexión filosófica.

El método socrático –por ejemplo- conocido como *mayéutica* (que significa "alumbramiento", "parto") se basa precisamente en el ejercicio del diálogo. Por medio de ese ejercicio de interrogación se conduce al interlocutor a tomar contacto con su propia ignorancia para que, a partir de esa toma de conciencia, sienta la voluntad de fundamentar lo que sabe (de allí el sentido del término "alumbramiento": dar a luz un nuevo saber).

Este ejercicio intelectual es propio de la filosofía. Se trata efectivamente de un ejercicio de tipo *reflexivo, intelectual o conceptual* orientado precisamente a la "definición y el conocimiento de lo general".

Ejemplos de preguntas filosóficas serían los siguientes:

"*¿Qué es la verdad?*"
"*¿Qué es lo bello?*"
"*¿Qué es la ciencia?*"

### ¿QUÉ ES EL BIEN?

Pues bien, he aquí -continué- lo que puedes decir que yo designaba como hijo del bien, engendrado por éste a su semejanza como algo que, en la región visible, se comporta, con respecto a la visión y a lo visto, del mismo modo que aquél en la región inteligible con respecto a la inteligencia y a lo aprehendido por ella.

-¿Cómo? -dijo-. Explícamelo algo más.

**Maestro en acción**. *Sócrates ejerciendo el arte de la mayéutica, en un detalle de La escuela de Atenas de Rafael.*

-¿No sabes -dije-, con respecto a los ojos, que, cuando no se les dirige a aquello sobre cuyos colores se extienda la luz del sol, sino a lo que alcanzan las sombras nocturnas, ven con dificultad y parecen casi ciegos como si no hubiera en ellos visión clara?

-Efectivamente -dijo.

-En cambio, cuando ven perfectamente lo que el sol ilumina, se muestra, creo yo, que esa visión existe en aquellos mismos ojos.

-¿Cómo no?

-Pues bien, considera del mismo modo lo siguiente con respecto al alma. Cuando ésta fija su atención sobre un objeto iluminado por la verdad y el ser, entonces lo comprende y conoce y demuestra tener inteligencia; pero, cuando la fija en algo que está envuelto en penumbras, que nace o perece, entonces, como no ve bien, el alma no hace más que concebir opiniones siempre cambiantes y parece hallarse privada de toda inteligencia.

-Tal parece, en efecto.

-Puedes, por tanto, decir que lo que proporciona la verdad a los objetos del conocimiento y la facultad de conocer al que conoce es la idea del bien, a la cual debes concebir como objeto del conocimiento, pero también como causa de la ciencia y de la verdad; y así, por muy hermosas que sean ambas cosas, el conocimiento y la verdad, juzgarás rectamente si consideras esa idea como otra cosa distinta y más hermosa todavía que ellas. Y, en cuanto al conocimiento y la verdad, del mismo modo que en aquel otro mundo se puede creer que la luz y la visión se parecen al sol, pero no que sean el mismo sol, del mismo modo en éste es acertado el considerar que uno y otra son semejantes al bien, pero no lo es el tener a uno cualquiera de los dos por el bien mismo.

Platón. *La República*.

Se trata de preguntas que no pueden comprobarse con un método empírico. Su objeto son los ***conceptos.***

La filosofía no responde preguntas del tipo: "*¿Qué es bueno?"* –que constituye una cuestión ética y por lo tanto práctica (hay que saber qué es lo bueno si se quiere actuar con bondad)-.

La pregunta filosófica dice "*¿Qué es «lo» bueno?,* la cual exige una reflexión sobre los fundamentos y la definición de la bondad.

La ciencia tiene mucho en común con la filosofía; se diferencia de ella, sin embargo, en un punto decisivo: se interesa por conocer objetos abordables en el marco de una experiencia posible (mientras que la filosofía aborda objetos *ideales*). Por ejemplo, la ciencia estudiaría la composición química de la capa geológica y la filosofía se preguntaría por el sentido de la creación de la tierra.

De igual modo, las formulaciones que se interrogan por "causas últimas" (o primeras) no pueden ser respondidas desde el punto de vista científico:

*"¿Por qué los seres humanos son gregarios o sociales?"*

*"¿Por qué existe la guerra?"*

En términos generales, las formulaciones encabezadas por la forma *"¿por qué...?"* resultan poco aptas para guiar el trabajo de investigación, especialmente cuando las respuesta a esas formulaciones exigirían aceptar algo como dogma, algo que no puede ser explicado.

Ante este tipo de formulaciones suele ser conveniente ensayar búsquedas más descriptivas. En el primer ejemplo (*por qué los seres humanos son gregarios?*), una formulación más afín al abordaje investigativo podría ser del siguiente tipo:

> *"¿Qué rasgos presenta la sociabilidad humana (que la diferencien, por ejemplo, de la sociabilidad animal)? ¿Se dan estos rasgos de manera homogénea en todas las culturas?, etc.*

Debemos insistir nuevamente en que la motivación de la pregunta puede ser perfectamente válida para el desarrollo de un trabajo de investigación a condición de **adecuar su formulación** a un formato propio de preguntas abordables con métodos de tipo científico.

**e.** *Preguntas que contienen supuestos sobre escenarios o situaciones no accesibles, no controlables por la investigación*

Hemos señalado que uno de los requisitos de las preguntas de investigación es que los asuntos a que se alude en ellas puedan ser evaluados en el *marco de una experiencia posible*. Esa experiencia puede ser de muy diversa índole pero en todos los casos accesible al investigador/a. No es válido apelar a escenarios no abordables o situaciones que no pueden cambiarse, como los que se encierran en preguntas del siguiente tipo:

> *"¿Cómo sería la situación social de la mujer en Occidente si se hubiera extendido la poliandria[1]?"*

No hay forma de testear o evaluar empíricamente esta pregunta, ya que no está en manos del investigador cambiar el curso de la historia. Una vez más se podría ensayar otro tipo de abordaje sobre el mismo asunto, que sí tiene viabilidad investigativa. Por ejemplo, podría preguntarse:

> *"¿Qué características tiene la situación social de la mujer (su estatus, sus roles y funciones) en las sociedades en que existe la poliandria?"*

Esta pregunta es viable si existe un escenario en dónde observar la situación que quiere describirse (en nuestro ejemplo "sociedades poliándricas").

---

[1] Poliandria: unión de una mujer con varios hombres al mismo tiempo.

Como síntesis de lo dicho hasta aquí hay que señalar lo siguiente:

> No hay temas o temáticas científicas y temas y temáticas no científicas. Hay, por el contrario formas de plantear los temas y problemas conforme a los cánones accesibles al tratamiento científico. (Y, por supuesto, formas de plantearlos que los hacen inabordables bajo el modo de la investigación científica.)

Diremos entonces que:

> Una pregunta de investigación pertinente deberá estar formulada de tal manera que resulte posible su posterior comprobación empírica (debe ser posible derivar de ella una experiencia, un escenario o situación observable en que pueda ser abordada a la luz de los hechos que quieren conocerse) y debe prever como respuesta esperable algún tipo de conocimiento (o conocimiento científico) no disponible antes de realizada la investigación.

- Chalmers, Alan F.: *¿Qué es esa cosa llamada ciencia?*, México, Siglo XXI, 1997.

- Delgado, Juan Manuel y Gutiérrez, Juan: *Métodos y técnicas cualitativas de investigación en ciencias sociales*, Madrid, Síntesis, 1995.

- Díaz, Esther: *Metodología de las ciencias sociales*, Buenos Aires, Biblos, 1997.

- Rojas Soriano, Raúl: *Métodos para la Investigación Social. Una Proposición dialéctica*, México, Folios Ediciones, 1985.

- Samaja, Juan: *Epistemología y Metodología. Elementos para una teoría de la Investigación científica*, Buenos Aires, EUDEBA. 1993.

- Samaja, Juan: *Proceso, diseño, proyecto*, Buenos Aires, JVE

- Vasilachis de Gialdino: *Métodos cualitativos I. Los problemas teóricos-epistemológico*, Buenos Aires, Centro Editor de América Latina, 1993.

# Capítulo IV. Conjeturas e hipótesis:
## Destinos y metas del proceso de investigación

*El descubrimiento o la constatación de hipótesis*
*constituyen la razón de ser de toda investigación*

## ¿Qué es una hipótesis?

Antes de abordar el tema de las *hipótesis de investigación científica*, examinaremos las características que tiene un enunciado hipotético, sea o no científico.

Veamos un ejemplo: Supongamos que hemos decidido ir al recital del músico que más nos gusta. Supongamos también que sabemos que ese músico convoca también a cientos de jóvenes.

Es probable que decidamos entonces ir a sacar las entradas con anticipación porque tenemos la presunción de que si vamos los días previos al recital podremos quedarnos sin ellas.

Generalmente tendremos alguna idea de cuándo −es decir, cuánto tiempo antes- deberemos ir a sacar las entradas, si queremos conseguir el lugar o el precio que buscamos.

Por ejemplo, puede ser del caso que tengamos la sospecha de que

*"si vamos dos días antes ya no habrá entradas".*

Ésta es nuestra presunción de los hechos, es decir, nuestra **hipótesis**. Un lógico nos diría que llegamos a ella encadenando una serie de juicios. Por ejemplo, juicios del siguiente tipo:

*"Si el recital es muy convocante, entonces, las entradas se agotan rápido".*

Luego tenemos el dato (eso que sabemos que efectivamente es así):

*"Este es un recital convocante".*

Entonces (sacamos la conclusión, que es nuestra predicción):

*"Las entradas se agotarán rápido".*

El primer enunciado dice algo de manera muy general: no habla de este recital al que vamos a ir nosotros, ni de un recital en particular, sino de cualquier recital o de **todo** recital convocante.

Diremos en ese caso que lo que nuestro primer enunciado formula es una **regla.** Es decir, una "regularidad".

Una regularidad es una pauta que caracteriza a un cierto asunto o fenómeno. Nos dice por ejemplo que si "algo es A, entonces es b":

*"Si es hombre, entonces −mal que nos pese- es mortal"*

La "regla" de la naturaleza de lo humano (entre muchas otras cosas) es cumplir el ciclo de la vida, que incluye como un atributo suyo, la mortalidad. Por supuesto que, como ocurre con todo, "hay reglas y reglas". Por ejemplo, saber que "si llueve el piso se moja" es una regla (y de ella se derivan hipótesis particulares, como por ejemplo la que sostiene que "si llovió el piso estará mojado"), pero convengamos que es una regla bastante trivial.

## LÓGICA CON HISTORIA

**La correcta razón.**
*Aristóteles (según una ilustración medieval) definió las leyes de la lógica, que se siguen estudiando hoy.*

La Lógica es un término que deriva del griego "Λογικός" (logikê-logikós), que a su vez es logos, que significa razón. Aristóteles fue el primero en emplear el término "Lógica" para referirse al estudio de los argumentos dentro del lenguaje natural y la define como "el arte de la argumentación correcta y verdadera". A partir de mediados del siglo XIX, la lógica formal comenzó a ser estudiada en el campo de las matemáticas y posteriormente por las ciencias computacionales, naciendo así la Lógica simbólica. Ésta trata de esquematizar los pensamientos valiéndose de un lenguaje de signos propio y distinto al verbal, evitando así las ambigüedades. La lógica es esa disciplina que nos enseña cuáles son las formas argumentales válidas que nos permiten obtener buenas conclusiones. La lógica no nos enseña *qué debemos pensar sino cómo debemos pensar* de modo de poder integrar una comunidad de seres pensantes de manera armoniosa. En un sentido restringido, se puede decir que el núcleo mismo de la enseñanza lógica es la "teoría de la inferencia". El tema central es, pues, ¿cuáles son buenas y cuáles son malas inferencias"

[Adaptado de: Samaja, J. "El papel de la hipótesis y de las formas de inferencias en el trabajo científico". *En Semiótica de la ciencia*. Libro inédito].

Lo interesante en todos los órdenes de la vida –y especialmente en el orden del trabajo de la investigación científica– es identificar "reglas no triviales" o que no están a la vista de todo el mundo.

La inteligencia consiste sobre todo (en el terreno científico o no científico) en esta capacidad de conectar cosas allí donde otros no conectan o no advierten conexiones. Eso es también creatividad. Y se puede ser creativo hasta para hacer una sopa: si uno tiene algún conocimiento sobre los alimentos y sus mezclas, puede predecir qué ingredientes será conveniente mezclar y qué sabores pueden esperarse (aunque por supuesto, para saber cómo resulta, se deberá luego probar la sopa).

En el terreno de la investigación científica es donde las relaciones que se establecen o postulan entre los hechos resultan menos triviales y menos intuitivas.

Un ejemplo de conexión no trivial lo tenemos en la descripción de las "parálisis histéricas" a la que hemos aludido en el capítulo anterior: en ese caso, Freud conectó una manifestación somática como lo es la parálisis con las "ideas sexuales reprimidas" que tenían su origen en la infancia de sus pacientes. Tampoco es trivial (aunque hoy nos parezca relativamente obvio) establecer relaciones entre "las masas de los cuerpos, sus distancias y sus fuerzas de atracción" y explicar a partir de ello el comportamiento de un cuerpo que cae. Todos hemos visto miles de objetos caer pero sólo Newton conectó la caída de la manzana con la "no caída" de la Luna sobre la Tierra y derivó de allí una enorme cantidad de consecuencias que constituyeron sus reglas o hipótesis sobre la fuerza gravitatoria y las leyes del movimiento.

Adviértase que en todos los casos la formulación de una hipótesis requiere de conocimientos previos en algún dominio: sea en el dominio de los recitales, de las sopas, del hombre y sus ciclos vitales, de las historias infantiles o de las manzanas que caen. Dicho de otro modo, para formular hipótesis se requiere de alguna experiencia previa, de conocimientos sobre casos o situaciones semejantes.

En el terreno de la investigación científica esto también vale: ni Freud ni Newton hubiesen llegado a las hipótesis que llegaron si se hubiesen conectado con los hechos que descubrieron como lo haría alguien que nunca hubiera pasado por la formación y la experiencia que ellos recibieron.

Freud era un gran neurólogo y antes de detectar los hechos extraños que en su momento descubrió (y procuró explicar), trabajó durante muchos años observando y describiendo parálisis de origen orgánico. Estaba muy bien formado además en las tradiciones de la ciencia médica y psicológica de su tiempo y sólo por esa formación y por su experiencia pudo detectar allí un problema y postular una hipótesis para resolverlo.

De igual modo, Newton pensaba sus problemas teóricos y empíricos a partir de Galileo, Copérnico y Kepler. Estaba formado en las más importantes tradiciones de su disciplina, y lo hacía desde el centro del imperio de su tiempo: la Inglaterra del siglo XVIII.

*Imágenes de la mente. En el célebre cuadro* Belvedere (1958) de M.C. *Escher puede verse como una especie de retrato del proceso de pensar.*

## DEFINICIONES NECESARIAS

El silogismo es una forma de razonamiento lógico que consta de dos proposiciones como premisas y otra como conclusión, siendo la última una inferencia necesariamente deductiva de las otras dos. El silogismo fue formulado por primera vez por Aristóteles, en su obra lógica recopilada como *El Organon*, de sus libros conocidos como Primeros Analíticos (en griego: *Proto Analytika*). Aristóteles consideraba la lógica como lógica de relación de **términos**.

Los términos se unen o separan en los **juicios**. Los juicios aristotélicos son considerados bajo el punto de vista de unión o separación de dos términos, un **sujeto** y un **predicado**. Hoy hablaríamos de proposiciones.

El juicio es un pensamiento en el que se afirma o se niega algo de algo. Según Aristóteles, el juicio es el "pensamiento compuesto de más de una idea, pero dotado, a la vez, de una unidad especial que se logra por medio de la cópula".

El razonamiento es el proceso sistemático de analizar, relacionar y establecer, dentro de un contexto y en un lenguaje preciso y correcto, los elementos básicos de una situación para decidir qué creer y qué hacer. Esto requiere la capacidad de inferir conclusiones partiendo de premisas dadas, siguiendo determinadas reglas de validez.

## LA PUESTA A PRUEBA DE LAS HIPÓTESIS CIENTÍFICAS

La investigación científica se caracteriza no sólo por enunciar reglas o regularidades, sino también y especialmente por su puesta a prueba. "Poner a prueba" la hipótesis significa crear o encontrar condiciones o experiencias empíricas en que podría –eventualmente- ser refutada. Como se desprende del punto anterior, advertir una cierta regularidad hace posible formular una hipótesis de modo general.

Por ejemplo, si se afirma:

*"Si es mosca, vuela"  o  "Toda mosca, vuela"*

se está formulando un enunciado de alcance general. Como lo hemos dicho: no importa de qué mosca estemos hablando, ya que en verdad no hablamos de ninguna en particular sino de todas y cualquier "mosca". Nuestro enunciado dice, simplemente, que "Si es mosca", entonces necesariamente será un "ser volador" (al menos eso es lo que postula nuestra regla o hipótesis).

Ahora bien, para saber si esa hipótesis es cierta será necesaria comprobarla. Para ello se requiere no ya de enunciados generales, sino de enunciados particulares. A estos enunciados los vamos a llamar "hipótesis de trabajo". Esas hipótesis particulares son casos en los que, pretendidamente, la regla deberá cumplirse. Así diremos, que:

*"He aquí una mosca"  entonces: "esa mosca deberá volar".*

Adviértase que ahora hablamos de un "caso de mosca" particular. No de cualquier mosca, sino de "esta" que tenemos delante. Y predecimos (por derivación de nuestra hipótesis general) el comportamiento que esperamos. En este caso , que "vuele".

Supongamos que efectivamente la mosca que tenemos delante vuela. ¿Podemos concluir entonces que "si esta mosca vuela", "toda mosca vuela"?

La respuesta es negativa. Podría ocurrir que la mosca que observamos fuera un ejemplar extraño por alguna razón desconocida, y por eso mismo constituye "la excepción y no la regla". ¿Qué hacer entonces para probar nuestra regla o nuestra hipótesis?

La respuesta a esta pregunta ha desvelado a epistemólogos de todos los tiempos.

Algunos creyeron que bastaba con tomar un número suficientemente grande de casos (en nuestro ejemplo de moscas) y averiguar si todas presentan la propiedad predicha (en nuestro ejemplo, si todas ellas vuelan). Si así fuera, estaríamos en condiciones de aseverar (o al menos estimar con alguna probabilidad) que "toda mosca vuela". Esta posición se conoce como *"inductivista"*: supone que a partir de unos casos podemos "saltar" a la regla (inferir lo general de lo particular, como dicen los lógicos).

Pero, supongamos que hubiésemos examinado unos cuantos millones de moscas. ¿Cómo saber entonces si la próxima mosca que aún no hemos examinado también vuela? ¿En qué número de casos deberemos detenernos para estar seguros de la generalización? Quizá deberíamos cambiar la regla y decir que "con alta probabilidad, si es mosca vuela". Pero en ese caso no hemos probado nuestra regla, sino que la hemos cambiado (acomodándola a nuestras imposibilidades,  no podemos conocer a todas las moscas, ni a todas las actualmente existentes, ni a todas las moscas por nacer, ni a todas las moscas alguna vez nacidas).  Frente a esta situación, otra posición epistemológica sostuvo que no es por ese camino que avanza la ciencia. Para esa otra posición, la ciencia no busca, ni puede pretender llegar a verdades definitivas. Su tarea consiste en proponer hipótesis que puedan eventualmente ser refutadas por los hechos. Aunque parezca mentira, lo que esta teoría dice es que el investigador debe ir a la búsqueda del "contra-ejemplo" que contradiga su hipótesis.

En nuestro ejemplo, lo interesante (o verdaderamente útil) sería encontrar una mosca que no vuele. Si encontráramos una mosca que –pese a ser mosca- no vuela, nuestra hipótesis ya no podría sostenerse. En ese caso, sí podríamos arribar a una conclusión definitiva –aunque por supuesto negativa-, del siguiente tipo:

*"No es cierto que toda mosca vuela".*

Dicho de otro modo: "Es falso el enunciado que sostiene que «Toda mosca vuela»".

Este enunciado niega la regla, pero además lo hace de manera cierta, segura, necesariamente verdadera. Esta posición metodológica sostiene que la tarea de la ciencia consiste en derivar de las hipótesis generales enunciados o hipótesis particulares que puedan traducirse en enunciados que se puedan observar. Pero el fin de estos enunciados no sería el de *verificar* la hipótesis general (lo cual se mostró imposible según surgía del análisis de la "inducción") sino de ponerla a prueba.

Fue Karl Popper quien propuso este método como criterio demarcatorio de la práctica científica. Se trata de un criterio demarcatorio porque se propone fijar normas para decidir cuándo un enunciado o hipótesis es científico y cuándo no lo es. Por referencia a los procedimientos que estipula su método, lo llamó *"método hipotético deductivo"*.

De acuerdo con esta concepción, lo que se le pide a toda hipótesis científica es que de ella puedan derivarse enunciados observacionales que puedan eventualmente mostrar que la hipótesis era falsa.

Nuestro ejemplo de la mosca sería una buena hipótesis (al menos por su forma, aunque no seguramente por su pobreza de contenido) porque de ella podemos derivar enunciados particulares, que como tales, remiten a una experiencia posible en que la hipótesis general pueda ser contrastada o sometida al dictamen de los hechos: de la hipótesis general –"Toda mosca vuela"- podemos derivar enunciados empíricamente abordables como "Esto es mosca"; por lo tanto, predecimos (hipótesis de trabajo) que "esta mosca volará"-.

Insistamos una vez más: para Popper una hipótesis es contrastable (y por lo tanto científicamente adecuada) si resulta posible imaginar –a partir de ella- una situación o experiencia concreta en que podría no cumplirse.

De acuerdo a este criterio no serían, por ejemplo, hipótesis contrastables los siguientes enunciados:
*"Todos los miércoles llueve o no llueve"*
*"Dios está en todo lo que existe"*
*"Siempre es posible tener suerte en la lotería".*

El primer caso no es una hipótesis contrastable porque en cualquier escenario imaginable la hipótesis se confirma. Cualquiera sea la situación climática del día miércoles, la hipótesis será siempre verdadera. De modo que no se cumple con el criterio pedido: que la hipótesis permita derivar situaciones en las que pueda resultar potencialmente falsa.

En este caso la hipótesis sería falsable con sólo especificar un estado posible, como por ejemplo:
*"Todos los miércoles llueve".*

En este caso la hipótesis puede ponerse a prueba (es *falsable*) ya que existe una situación –al menos potencialmente previsible- en que resultaría falsa: esa situación sería la de un día miércoles que no lloviera.

## EL CÍRCULO DE VIENA

*Un lenguaje propio. El círculo de Viena, liderado por Moritz Schick (foto), buscaba una ciencia que fuera independiente de la filosofía.*

A comienzos de los años 1920, un grupo de científicos, lógicos y filósofos se reunió bajo la tutela de Moritz Schlick,profesor de la cátedra de Filosofía de las Ciencias Inductivas de la Universidad de Viena. Se habían propuesto liberar a la ciencia de la metafísica, defendiendo el empirismo de David Hume y John Locke y el método de la inducción, la búsqueda de la unificación del lenguaje de la ciencia y la refutación de la metafísica. Esta filosofía es conocida con los nombres de positivismo lógico, neopositivismo o empirismo consecuente. Desde esta escuela afirmaron que enunciados que implican juicios de valor –como por ejemplo que "matar es malo"– no afirman nada que sea susceptible de verificarse y que, por lo tanto, no tienen significado teórico. Además de lo cuestionable que resulta esta afirmación, el mismo asunto de la verificación acarrea problemas metodológicos y epistemológicos: entre otras cosas porque nadie puede decidir si un enunciado es verificable o no, mientras no se sepa qué tipo de procedimiento es necesario para verificarlo; o sea, mientras no se sepa qué significa".

En el segundo enunciado no hay forma de probar ni la presencia ni la no presencia de Dios. Como Dios no es una entidad, ni una realidad accesible por medio de sentidos o experiencias definibles en marcos empíricos (sino que es un postulado o una creencia de nuestro espíritu) no hay forma de probar ese enunciado. Para el creyente, Dios está en todo, y acepta este hecho como un acto de fe (no por demostración empírica). Para el no creyente, como no puede acceder a Dios por el camino de la percepción, la sensibilidad o la derivación racional, no hay forma de probar su existencia pero tampoco su no existencia.

Por último, el tercer enunciado no es falsable porque es también siempre verdadero: suceda lo que suceda; juegue uno a la lotería o no juegue y, si juega, gane o no gane. Dado que se enuncia una posibilidad, los hechos que predice pueden tanto darse como no darse. Eso hace que de cualquier manera resulte siempre verdadero.

De todo esto se deriva una consecuencia del método *hipotético deductivo*: la ciencia avanzaría refutando hipótesis, precisamente porque en la refutación (o falsación) se puede garantizar la verdad de las conclusiones alcanzadas. Es precisamente en la no confirmación de las hipótesis en donde advertimos el error de nuestras conjeturas y la ciencia avanza por el camino del "ensayo y el error".

Los conocimientos científicos serían –de acuerdo con esta versión- hipótesis que "han sobrevivido a la contrastación, a la refutación", y serían admitidos como válidos hasta tanto no se demuestre lo contrario.

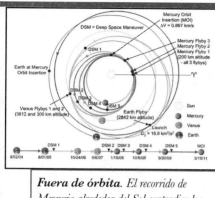

***Fuera de órbita.*** *El recorrido de Mercurio alrededor del Sol contradice los postulados de la física de Newton.*

## LAS ANOMALÍAS DE MERCURIO

Un ejemplo ya clásico en la historia de la ciencia es el de las ***anomalías*** detectadas en el perihelio de Mercurio (el ***perihelio*** es el punto de la elipse orbital en que el planeta se encuentra más cerca del Sol). Durante largo tiempo los científicos advirtieron que la trayectoria del planeta Mercurio no coincidía con la esperada de acuerdo a las leyes newtonianas. Efectivamente, en base a las relaciones que se calculaban entre masas y distancias, era posible predecir el punto en que debía encontrarse Mercurio si la teoría y los cálculos eran los adecuados. Sin embargo, el planeta no aparecía allí donde se lo esperaba, sino algo desplazado.

Si las cosas hubieran sido como lo preveía el ***método hipotético deductivo***, la ciencia física debió haber abandonado la mecánica de Newton al advertir esta situación que contradecía sus presunciones.

Pero eso no ocurrió.

Lo primero que hicieron los investigadores fue pensar que "debía de haber otro cuerpo celeste cuya presencia no se habría constatado, pero cuya masa era la causante de la desviación de la órbita de Mercurio".

Esa presunción constituye una "hipótesis auxiliar" que viene a poner a salvo el núcleo central o núcleo duro de la teoría física clásica.

La supuesta masa distorsionante nunca fue encontrada. Tampoco se pudieron demostrar fallas en las mediciones, ni en los instrumentos de observación (ya que funcionaron bien para medir y estimar otros fenómenos astronómicos).

Lo que efectivamente ocurrió fue que la comunidad científica convivió con esa "anomalía" durante muchos años, sin considerarla una "experiencia crucial" (que como tal obligaría a rechazar los principios de base de la teoría newtoniana). Y esto, a pesar de los dictámenes del método ***hipotético deductivo***.

Lo que ocurre es que frente a toda experiencia falsadora es posible postular un sinnúmero de circunstancias que distorsionan o alteran las condiciones experimentales: en este caso que no se disponía de la tecnología adecuada para identificar el objeto; que la masa que se busca permanece oculta por alguna razón aún no conocida, que las condiciones de la atmósfera y la temperatura cercana al Sol distorsionan las mediciones, etc., etc., etc.

Debió pasar mucho tiempo antes de que las anomalías de las órbitas de Mercurio fueran tomadas como falsadoras de la física clásica, y cuando ello ocurrió fue debido a que la teoría de la relatividad –que sucedió a la física de Newton– fue capaz de explicar no sólo esa anomalía sino además todo el contenido no refutado de la teoría de Newton. Dicho de otro modo, la nueva física no sólo explicó lo que la teoría de Newton no explicaba sino también lo explicado por aquélla.

Moraleja de esta historia: nadie deja una teoría si no tiene otra mejor, aún cuando alguna experiencia pueda llegar a ponerla en aprietos.

## MÁS ALLÁ DEL MÉTODO HIPOTÉTICO-DEDUCTIVO

Pero esta exigencia del método hipotético deductivo no describe de manera realista el comportamiento de la ciencia y de los científicos. Efectivamente, si se examina la historia de la ciencia se observa que **los científicos raras veces se comportan como lo indica el método hipotético deductivo** (al menos en la versión que acabamos de describir).

Se advierte, por ejemplo, que si un científico encuentra un caso que refuta la hipótesis general, antes de abandonarla o rechazarla, lo que suele hacer es preguntarse:

a. ¿Se tratará de un caso genuino? (en nuestro ejemplo: ¿será esto una mosca?); o

b. Si fuera un caso genuino, será un ejemplar no afectado por otros factores o circunstancias incluso contingentes que no estamos pudiendo conocer (en nuestro ejemplo: esta mosca ¿no estará afectada por alguna enfermedad o dificultad motriz que le impide volar, a pesar de estar diseñada para el vuelo?); o

c. ¿dispondremos de medios adecuados para evaluar los casos o las observaciones que estamos haciendo (en nuestro ejemplo: ¿es suficiente con la observación simple para detectar o estar seguros de que estamos observando una mosca?)

Todo lo dicho saca a luz algunos problemas no menores a la hora de buscar **criterios que garanticen la validez de las hipótesis científicas.**

Uno de esos problemas –que involucra de igual modo a la posición *inductivista* como a la *deductivista*- consiste en reconocer que todo enunciado observacional supone ya alguna hipótesis acerca de los criterios que deben seguirse para reconocer el "caso" como un caso adecuado a la hipótesis general.

En nuestro ejemplo –bastante trivial- significa que para saber que "algo es una mosca", uno tiene que tener ya una teoría sobre qué es mosca y qué no es mosca. Antes de decidir si es cierto que "esta mosca vuela" es necesario tener la certeza de que "esto es una mosca".

Si en vez de este ejemplo nuestra hipótesis postulara, como lo hizo la teoría atómica de Dalton, que

"los átomos de un mismo elemento son iguales en masa y en todas las demás cualidades"

ya no resulta tan simple precisar cuáles son los criterios a seguir para determinar que estamos ante un "caso de átomo de un mismo elemento x". Y se requiere al menos un conjunto de "acuerdos técnicos" para llegar a ello.

Gran parte del desarrollo de la ciencia se basa en la posibilidad de fundamentar estos acuerdos técnicos. De modo tal que en toda experiencia de "puesta a prueba de una hipótesis" existen acuerdos metodológicos, que son previos a esa puesta a prueba y que en sí mismos no son probados ni cuestionados.

Como lo ha señalado el epistemólogo argentino Juan Samaja, "operan allí otras inferencias, como la abducción y la analogía, que están a la base de la creación de las hipótesis, y de la identificación de los casos, requeridos para probarlas".

En relación al concepto de analogía, Juan Samaja ha dicho:

"Llevamos a cabo una analogía cuando tenemos como premisa la proposición que afirma que el rasgo que tenemos planteado nos evoca el rasgo de un caso de otro fenómeno, pero que nos es muy familiar. Veamos un ejemplo célebre: Darwin se enfrenta a la adaptación, como rasgo omnipresente en los seres vivos, y sin embargo, no dispone de ninguna hipótesis aceptable para dar cuenta de esa adaptación.

Ahora bien, sabemos por diversas fuentes que en su historia personal tiene mucha importancia un rasgo análogo cuya regla es muy bien conocida por él: "la adaptación de los animales de granja a los requerimientos del mercado. Y sabemos, además, que conocía muy bien la regla que empleaban los granjeros para lograr dicha adaptación: "la selección doméstica". Con esos dos insumos, tomados de su historia personal, Darwin está en condiciones de acotar el campo de búsqueda de una hipótesis plausible: "La naturaleza se comporta como si fuera un granjero que selecciona los animales según ciertos rasgos privilegiados, (pero ya no por su adaptación a los valores de venta en el mercado como en la selección doméstica, sino) por su mejor adaptación al medio"

En síntesis, la analogía va de un Caso conocido al caso desconocido, por medio de su semejanza formal, y de allí deriva que la Regla del caso conocido también debe ser semejante a la Regla del caso desconocido": la Regla desconocida debe tener la misma forma que la regla análoga"[1].

***Modos de llegar****. Charles S. Pierce, quien formuló el principio de la abducción, en una escena familiar.*

## ABDUCCION E INDUCCIÓN

Si un paleontólogo encuentra un colmillo con las características A, B y C; y luego descubre otro colmillo con esas mismas características, entonces, quizás se sienta tentado de *inferir inductivamente* que *todos los colmillos que encuentre en adelante, tendrán las características A, B y C.*

Como se ve, va de unos *elementos* al *conjunto de los mismos elementos*. Es decir, que nuestro intelecto va del elemento *esto,* reconocido como un caso de *colmillo* y de la constatación de ciertos rasgos particulares (digamos, su largo, su peso, su estado de salud, etc.), a la formulación de una respuesta a la siguiente pregunta: ¿cómo serán los próximos colmillos que encontraré? ¿tendrán todos estos rasgos o no?

Algo muy distinto hace un investigador cuando *abduce*. Si encuentra un colmillo y dispone de un saber previo de anatomía comparada, el científico podrá inferir a qué especie de animal pertenecía *ese* colmillo, como respuesta a una pregunta distinta: ¿a qué animal perteneció este colmillo? La respuesta podrá ser: "Aquí anduvo un ejemplar de *Tyrannosaurus rex*". En esta situación la perspectiva en que se pone el investigador es la de considerar al elemento como una parte de un todo.

En la inducción *generalizamos* a todos los colmillos. En la abducción, en cambio, lo que hacemos es, a partir del colmillo como rasgo de un viviente, identificar a cuál clase de ser viviente perteneció ese colmillo *con esos rasgos*.

[1] Adaptado de Samaja, J. Samaja, J (2003) "El papel de la hipótesis y de las formas de inferencia en el trabajo científico." en Semiótica de la Ciencia. Libro inédito.

Sinteticemos las diferencias entre las formas de razonamiento tal como han quedado presentadas:

a. la deducción va de un *conjunto* a un *subconjunto*;

b. la inducción va de un *subconjunto* a un *conjunto*.

c. la abducción va de una *parte-órgano* a un *todo-organismo* o, simplemente, de la parte al todo, **en sentido estricto**.

[Tomado de Samaja, J. Samaja, J (2003) "El papel de la hipótesis y de las formas de inferencia en el trabajo científico." en *Semiótica de la Ciencia*. Libro inédito.)

Es en torno a estos acuerdos básicos en los que se fundan las "comunidades científicas". Esas comunidades de investigadores comparten marcos teóricos, modelos, experimentos o experiencias y técnicas de investigación ejemplares. Thomas Khun se refirió a este marco común con el concepto de *paradigma*.

A diferencia de lo que imaginaba el modelo hipotético deductivo en su versión original, el desarrollo de la ciencia no se produce (y no puede medirse) como una suma de experimentos o de investigadores aislados. Compromete siempre a comunidades de investigadores. Son esas comunidades las que marcan el desarrollo de la ciencia.

Para algunos epistemológos como Imre Lakatos, los procesos de confirmación y refutación de las grandes teorías (y de sus hipótesis fundacionales) se producen de manera gradual y progresiva y comprometen a grandes grupos de investigación.

Para otros, como T. Khun, por el contrario, los cambios se producen de manera drástica y revolucionaria, de la mano de experiencias cruciales, y que fundan nuevos ***paradigmas*** disciplinarios.

***Ciencia en el tiempo***. *Thomas Kuhn definió los criterios para establecer los cambios en la historia del pensamiento científico.*

## PARADIGMA

El filósofo y científico Thomas Kuhn dio al término **paradigma** su significado contemporáneo cuando lo adoptó para referirse al conjunto de prácticas que definen una disciplina científica durante un período específico de tiempo. El mismo Kuhn prefería los términos **ejemplar** o **ciencia normal**, que tienen un significado filosófico más exacto. Khun asigna varias acepciones al término **paradigma** en su libro *La Estructura de las Revoluciones Científicas*. Entre ellas, por **paradigma** entiende:

• Lo que se debe observar y escrutar.

• El tipo de interrogantes que se supone hay que formular para hallar respuestas en relación al objetivo planteado.

• La manera en que deben estructurarse esos interrogantes.

• Cómo deben interpretarse los resultados de la investigación científica.

Alternativamente, el Diccionario Oxford define paradigma como "Un patrón o modelo, un ejemplo". Así, un componente adicional de la definición de Kuhn es:

• Cómo debe conducirse un experimento y de qué equipamiento se dispone para realizarlo.

De esta forma, dentro de la ciencia normal, un paradigma es el conjunto de experimentos capaces de ser copiados o emulados.

### Cambio de paradigma

De acuerdo con Khun, el cambio de paradigma en las ciencias tiende a producirse de manera brusca, ya que antes de ese hecho las ciencias parecen ser estables y maduras, como la física a fines del siglo XIX. En aquel tiempo la física aparentaba ser una disciplina que completaba los últimos detalles de un muy trabajado sistema. Es famosa la frase de Lord Kelvin en 1900, cuando dijo: *"No queda nada por ser descubierto en el campo de la física actualmente. Todo lo que falta son medidas más y más precisas"*. Cinco años después de esta aseveración, Albert Einstein publicó su trabajo sobre la relatividad especial que fijó un sencillo conjunto de reglas invalidando la mecánica de Newton, que había sido utilizada para describir la fuerza y el movimiento por más de trescientos años. En este ejemplo, el nuevo paradigma reduce al viejo a un caso especial, ya que la mecánica de Newton sigue siendo una excelente aproximación en el contexto de velocidades lentas en comparación con la velocidad de la luz. En *La estructura de las revoluciones científicas*, Kuhn sostuvo que *"las sucesivas transiciones de un paradigma a otro vía alguna revolución, es el patrón de desarrollo usual de la ciencia madura"*.

Adaptado de cfr. http://es.wikipedia.org/wiki/Paradigma

## LAS HIPÓTESIS EN EL PROCESO DE INVESTIGACIÓN CIENTÍFICA

Aunque las hipótesis constituyen una guía de todo el proceso de investigación, su función varía según sea la "edad o el estadio" que transita la investigación. No tienen la misma función y la misma forma en las investigaciones exploratorias que en las investigaciones de constatación de hipótesis.

### 1.Las hipótesis en las investigaciones exploratorias

En las investigaciones exploratorias, la formulación de la hipótesis suele ser el resultado antes que el inicio del trabajo investigativo.

Sin embargo, como las **hipótesis constituyen una respuesta tentativa a los problemas de la investigación,** no caben dudas de que si se ha formulado un problema se tiene al menos definido un campo de búsqueda y por lo tanto una presunción acerca de por dónde indagar los hechos.

Eso ocurre siempre que se formula una pregunta: así, por ejemplo, si uno pregunta ¿dónde queda la calle Ayacucho? espera por lo menos que esa calle exista, que pertenezca a alguna zona urbanizada (en donde haya calles), y que seguramente se encuentre dentro de un área presuntamente próxima a donde uno se encuentra (por ejemplo, que si uno está en Buenos Aires, la calle que busca no sea de

Nueva York). Dicho de otro modo: si uno pregunta ¿dónde se encuentra la calle Ayacucho?, no espera que le respondan "debajo de la mesa".

La estructura y los contenidos de la pregunta preanuncian la estructura y los posibles contenidos de la respuesta. Esto mismo ocurre entre el problema o problemas de la investigación (sus interrogantes) y las hipótesis. Imaginemos, por ejemplo, una investigación que se propone averiguar cuestiones como las siguientes:

*"¿Cuáles son las concepciones de la ciencia que tienen los estudiantes del nivel medio?¿Cómo varían esas concepciones a lo largo de su formación; según las materias que han cursado, etc.?*

Supongamos también que los investigadores no tienen conjeturas muy definidas acerca del comportamiento de esas poblaciones en relación al asunto a investigar (es decir, a "las concepciones de la ciencia de los estudiantes"). No cabe duda, sin embargo, de que si se han formulado preguntas como éstas, es porque se dispone de algún horizonte de respuesta posible. Por ejemplo, deberán aceptar que

*"Las concepciones sobre la ciencia de los estudiantes presentan algún tipo de regularidad",* que *"las concepciones sobre la ciencia se modifican en el tiempo (por ejemplo, conforme avanza la carrera) o pueden ser modificadas por la cursada de ciertas asignaturas, etc.".*

De acuerdo con el enunciado más general (que sostiene que *"las concepciones sobre la ciencia… presentan algún grado de regularidad)* se espera que, como resultado de la investigación, se podrán "sintetizar", "agrupar"o "tipologizar" dichas concepciones (o, de manera negativa, que el resultado de la investigación no será la mera trascripción de lo que cada uno de los estudiantes manifieste, verbalice, etc. sobre la ciencia; sino una síntesis interpretada y ajustada de acuerdo al tratamiento que se le haya dado a esos datos y al marco conceptual que lo sustenta).

Sin duda, la naturaleza laxa e imprecisa de la hipótesis en las investigaciones exploratorias justifica que ella ***no siempre deba (o pueda) ser enunciada en un proyecto de investigación***. Pero aceptar esto no implica que el investigador/a no asuma alguna hipótesis al momento de derivar de un tema de investigación un cierto problema o grupo de problemas. Si no hubiera alguna hipótesis en juego no sería posible identificar ni siquiera un campo para explorar.

En síntesis, en las investigaciones exploratorias el resultado de la investigación será la formulación de una hipótesis más rica y precisa que la conjetura que originalmente guió la búsqueda exploratoria.

## 2. Las hipótesis en las investigaciones descriptivas

En las investigaciones descriptivas la hipótesis busca establecer una relación entre aspectos o asuntos del objeto investigado (a esos aspectos los llamaremos luego "variables").

Las formulaciones postulan atribuciones o propiedades como regularidades del asunto investigado, del tipo:

«Todo A es b»    o    «si A es b, c, d…»

Como en el siguiente ejemplo:

*"Toda cultura humana presenta algún tipo de «tabú del incesto»"*

Como lo hemos señalado al referirnos a este tipo de investigaciones, la descripción puede ser más compleja y dar cuenta de un conjunto de atributos que distinguen «*tipos*» dentro de un mismo fenómeno o problemática estudiada. Si en las investigaciones exploratorias se avanza identificando esa tipología, en las descriptivas se trata de precisarla en un número más extenso de casos estudiados.

## 3. Las hipótesis en las investigaciones explicativas o de constatación

Las hipótesis de constatación son las que apuntan a identificar relaciones entre atributos, propiedades (o variables) del asunto investigado. En el caso de relaciones de atribución de tipo causal (o multicausal) la forma de la hipótesis (o regla) sería del siguiente tipo:

«X causa Y»  (o X se correlaciona con Y)

Por ejemplo, se podría plantear como hipótesis que:

*"En toda sociedad moderna se constata que a mayor participación ciudadana, menor índice de delincuencia"*

Como se advierte en estos casos, se postulan relaciones entre aspectos o factores del fenómeno que se investiga. En el ejemplo se lo predica de «las sociedades modernas». De ellas se toman dos aspectos o variables:

a. la participación ciudadana, y

b. los índices de delincuencia.

Se establece entonces una relación entre ambos, que, en este caso no significa una relación de causalidad sino de mera "correlación". Eso significa que el comportamiento de uno de estos factores varía sistemáticamente junto con el otro (cuando uno aumenta, el otro disminuye).  Pero las verdaderas hipótesis explicativas son aquéllas que postulan relaciones de *determinación* entre las dimensiones o variables del fenómeno de estudio. En este tipo de hipótesis no sólo interesa examinar el comportamiento de dichas variables de manera conjunta, sino determinar la manera en que una explica el comportamiento de la otra.

En lo que respecta a las hipótesis de determinación causal, se establece una relación del tipo «X es la causa de Y».

Eso significa que:

a) el comportamiento de Y depende del de X o que X provoca Y, y por lo tanto que

b) X se produce antes de Y; y que

c) los cambios en el comportamiento de X causan cambios concomitantes en el comportamiento de Y.

Ejemplos de hipótesis de determinación causal:

*Los antecedentes de violencia familiar en la infancia predisponen a la violencia conyugal en los varones adultos.*
*La enseñanza basada en el trabajo grupal mejora el rendimiento del alumno.*

No siempre resulta sencillo probar empíricamente las relaciones de determinación causal. De allí que se reconoce que es en el diseño experimental en donde se puede obtener mayor certeza en este tipo de hipótesis, es decir, en la capacidad de prever que el comportamiento de una de las variables se debe al comportamiento de esa otra que hemos postulado en la hipótesis –y no a ninguna otra-. (Volveremos sobre este tema en el capítulo dedicado a los diseños). Las relaciones entre las componentes de estas hipótesis pueden ser multicausales o de "relación causal multivariada". Por ejemplo:

*"La enseñanza en grupos y la motivación por logros mejoran el rendimiento del alumno".*

o

*"La enseñanza basada en trabajo grupal mejora el rendimiento del alumno, cuando existe motivación por logros".*

En ambos casos se ha incrementado el número de variables a considerar; antes eran dos: *tipo de enseñanza y rendimiento del alumno;* y ahora se suma una más: *motivación por logros*. Pero, entre ambas formulaciones se constatan además diferencias, porque en un caso se establece una relación causal directa entre dos de ellas. Mientras que en la segunda se incluye a la nueva variable como un factor que interviene en el efecto original de las dos primeras.

Gráficamente la primera formulación sería del siguiente tipo:

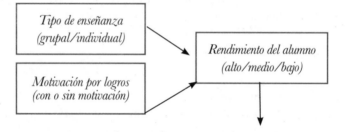

En cambio en el segundo ejemplo, la situación sería del siguiente tipo:

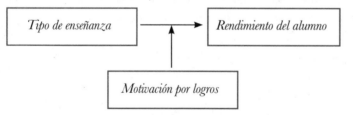

## 4. Las hipótesis en las investigaciones interpretativas

En este tipo de hipótesis no se establecen relaciones de causalidad, sino de *significación*. Se postula *un nuevo sentido o sentido de segundo orden* como "hipótesis interpretativa" de un sentido original, el que pasa a funcionar como "signo" para esa interpretación.

De manera formal, podríamos definirla en los siguientes términos:

«x significa y» (o x expresa y)

La hipótesis interpretativa no necesariamente debe expresar el sentido final de aquello que procura descifrar o interpretar, sino que puede proponerse como una conjetura general del siguiente tipo:

*"El relato onírico del paciente expresa (o significa) sus deseos reprimidos".*

En otros casos la interpretación puede ser más precisa, como en la siguiente hipótesis (adaptada del psicoanalista Donald Winnicott):

*"La tendencia antisocial del joven implica una esperanza. La falta de esperanza es la característica básica del niño deprimido…"*

Según la definición que hemos dado, esta hipótesis interpretativa postularía una relación del siguiente tipo:

*«La tendencia antisocial»* **expresa** *«una búsqueda de protección afectiva».*

Dicho de otra manera, lo que esta hipótesis sostiene es que el "joven antisocial está expresando o comunicando algo con su conducta antisocial", y eso que comunica es "un llamado, una búsqueda de protección y afecto".

También las investigaciones destinadas a interpretar *mitos, narraciones* (literarias, cinematográficas, etc.), *noticias periodísticas, publicidades, etc.* se sirven de hipótesis interpretativas.

## A MODO DE SÍNTESIS: PROPIEDADES QUE DEBE CUMPLIR UNA BUENA HIPÓTESIS DE INVESTIGACIÓN CIENTÍFICA

Aunque muchos autores consideran que la hipótesis constituye uno de los componentes más importantes de la investigación, se reconoce también que es quizá el más difícil de explicitar y sobre todo de regular. Dicho de otro modo, no sólo es difícil formular una hipótesis, sino también identificar criterios generales para guiar esa formulación. De acuerdo a la clasificación que hemos presentado, todas ellas deben cumplir con ciertos requisitos para ser consideradas como *hipótesis de investigación científica*.

Entre esos requisitos se cuentan:

a) deben ser **respuestas tentativas a los problemas de investigación formulados.** Eso significa que debe haber coherencia entre las preguntas que constituyen los problemas y las hipótesis que se formulan como respuesta.

b) La solución que se propone en la hipótesis no es la que necesariamente se va a encontrar al analizar los resultados empíricos obtenidos en la investigación; se trata únicamente de aquella que, según el investigador/a, tiene mayores probabilidades de producirse empíricamente.

c) La hipótesis debe expresar alguna *regularidad* presunta del fenómeno que quiere estudiarse: el alcance de esa presunción varía según se trate de estudios exploratorios, descriptivos, explicativos o comprensivos.

d) Aunque en las investigaciones exploratorias es posible trazar conjeturas que orientan la búsqueda investigativa, la hipótesis propiamente dicha se obtiene como resultado de la investigación.

e) La hipótesis debe ser relevante en un dominio disciplinario, por lo que debe encuadrarse en algún cuerpo de conceptos -cualquiera sea el nivel de desarrollo de esos conceptos.

f) Deben poder derivarse a partir de ella **hipótesis particulares o de trabajo,** lo que significa que deben poder formularse predicciones comprobables (abordables o cotejables) en alguna experiencia o escenario concreto.

Por ejemplo, si nuestra hipótesis general postula que:

*"Los antecedentes de violencia familiar en la infancia predisponen a la violencia conyugal en los varones adultos".*

debe ser posible estimar en un grupo concreto de "varones adultos –casados o unidos- con antecedentes de violencia familiar en la infancia" la presencia (o no presencia) de violencia conyugal en su vida actual; evaluando, por ejemplo, comparativamente ese grupo con otro grupo de varones adultos casados o unidos que no presentan antecedentes de violencia en la infancia.

Dicho de otro modo, de esa hipótesis general se podrá derivar una hipótesis de trabajo como la siguiente:

*"Se espera encontrar mayor índice de violencia conyugal en la muestra de varones adultos con antecedentes de violencia conyugal en la infancia, que entre aquellos que no presentan ese antecedente".*

g) Siempre es posible encontrar varias hipótesis de trabajo para una misma hipótesis.

En el siguiente capítulo nos detendremos en el examen de los procesos que se siguen para la puesta a prueba de las hipótesis de trabajo. Ese proceso supone el paso al "lenguaje de datos".

> EN LA CREACIÓN Y PUESTA A PRUEBA DE HIPÓTESIS DE TIPO CIENTÍFICA SE COMPROMETEN CUATRO INFERENCIAS:
>
> 1. LA *ANALOGÍA* HACE POSIBLE EL DESCUBRIMIENTO O IDEACIÓN DE NUEVAS HIPÓTESIS (O REGLA GENERAL);
>
> 2. LA *ABDUCCIÓN* HACE FUNCIONAR UNA HIPÓTESIS YA DISPONIBLE, CONJETURANDO QUE UNOS RASGOS O ATRIBUTOS DADOS SON COMPRENSIBLES COMO CASO DE UNA REGLA DADA;
>
> 3. LA *DEDUCCIÓN* PERMITE DESPRENDER DE LA REGLA GENERAL ENUNCIADOS PARTICULARES PARA SU PUESTA A PRUEBA; Y
>
> 4. LA *INDUCCIÓN* PERMITE CONFIRMAR O DISCONFIRMAR LA PRESUNCIÓN REALIZADA.

- Chamers, Alan F.: *¿Qué es esa cosa llamada ciencia?*, México, Siglo XXI. 1997.

- Díaz, Esther: *Metodología de las ciencias sociales*. Buenos Aires. Biblos. 1997.

- Ferrater Mora, J.: *Diccionario de Filosofía*. Bs. As. Sudamericana. 1994.

- Samaja, Juan: "El papel de la hipótesis y de las formas de inferencias en el trabajo científico". En: *Semiótica de la ciencia*, inédito.

- Samaja, Juan: *Epistemología y Metodología. Elementos para una teoría de la Investigación científica*. EUDEBA. 1993.

- Samaja, Juan: *Proceso, diseño, proyecto*, Buenos Aires, JVE

- Popper, Karl R.: *La lógica de la investigación científica*. Madrid. Tecnos.1973. - Lakattos, I.: *La Metodología de los Programas de Investigación*. Alianza. Madrid. 1983.

# Capítulo V. La ciencia se sirve de un lenguaje particular: el lenguaje de los datos

*La ciencia se caracteriza por la creación y la puesta
a prueba de hipótesis. Ese proceso requiere el
trabajo con datos.*

La manera de comprender y abordar un cierto problema de investigación definirá un determinado modo de organizar y traducir esa experiencia para poder explicarla o interpretarla.

Supongamos que estamos ante un paisaje patagónico y deseamos comunicar a otra persona (que no está presente) lo que estamos percibiendo. Podemos decir, por ejemplo:

*"El lago está completamente cristalino".*

De toda la experiencia vivida en este momento, hay un aspecto que concentra nuestra atención (al menos por unos instantes) y se transforma en un dato, en una información, en una manera de describir un estado de cosas de la experiencia real.

Esa frase y lo que ella dice **ya ha dejado de ser la experiencia real, pero sirve para describir la experiencia real**. Y del sinnúmero de aspectos que conforman la experiencia real, se han seleccionado sólo algunos y son los que se informan a los demás a través del lenguaje.

Lo mismo ocurre en el terreno de la investigación científica. El asunto de investigación se delimita de acuerdo a cuáles sean los marcos teóricos desde los cuales se lo concibe.

Si se estudia la *"violencia en el fútbol"*, los aspectos que se seleccionen como relevantes dependerán del enfoque adoptado: una investigación que considere que se trata de un problema causado por la "falta de educación de los hinchas" no producirá los mismos datos que una investigación que aborde el asunto como una expresión más de "la violencia latente de la sociedad contemporánea".

A esta tarea de delimitar el asunto de la investigación se la suele llamar la "construcción del objeto de estudio". Eso significa que ese objeto no está dado de manera inmediata, sino que es resultado de las decisiones y selecciones que va realizando el investigador o el equipo de investigación. Esa delimitación se inicia desde el momento en que se piensa o imagina un problema, cuando se formulan la o las hipótesis de la investigación; pero termina de definirse en el momento en que las delimitaciones se traducen al **lenguaje de datos**.

## Los componentes del dato

De manera general, puede decirse que un dato es una unidad de información. Veamos el siguiente ejemplo:

*"Real Madrid es puntero del campeonato español"*

Esta frase constituye un dato ya que nos informa sobre un *cierto estado de cosas* del mundo real. Por una parte se habla de **alguna cosa** de ese mundo: en este caso de un equipo de fútbol, *"el Real Madrid"*.

Y de los muchos asuntos de los que podría hablarse en relación a este equipo, se nos informa sólo sobre **un aspecto**, en este caso sobre su posición en el campeonato. De las posiciones que podrían darse (primero, segundo, tercero, etc.), se nos informa además que presenta **un estado** particular: el primer lugar, al menos en el momento en que se produce esa información.

Y, finalmente, aunque no esté explícito, se entiende que esa información **se obtuvo por algún medio**: debimos consultar el diario o Internet, o seguir los partidos a lo largo del campeonato, o preguntarle a un amigo. Son esas mismas operaciones las que se realizan para la construcción de un "dato" en el marco de una investigación científica.

Supongamos, por ejemplo, que tenemos una hipótesis como la siguiente:

*"La participación en clase mejora la motivación del estudiante para el aprendizaje de las matemáticas".*

Para confirmar o rechazar esta hipótesis deberá ser posible imaginar una experiencia concreta como una manera de ponerla a prueba.

Por ejemplo, podríamos comparar diferentes grupos de estudiantes de matemáticas, según distintos niveles de participación en clase, para evaluar luego sus niveles de motivación en la materia: eso exigirá -entre otras cosas- definir las características de esos alumnos, saber qué entenderemos y cómo mediremos eso que llamamos "participación en clase", y qué entenderemos y cómo mediremos eso otro que hemos definido como "motivación con la materia".

Examinemos en base a este ejemplo los componentes del dato científico:

**a. Unidad de análisis:** definiremos con este nombre a las entidades o tipo de entidades que debemos estudiar. En nuestro ejemplo, *alumnos de la clase de matemáticas.*

**b. Variables o dimensiones de análisis:** constituyen los aspectos de las unidades de análisis que se han seleccionado para examinar o estudiar, de acuerdo a los problemas e hipótesis de la investigación. Se llaman variables porque refieren a variaciones entre distintos estados o valores. En el ejemplo, tenemos dos grandes variables: *motivación para el aprendizaje y nivel de participación en la clase.*

**c. Valores o categorías:** constituyen los estados particulares que pueden asumir las variables. Por ejemplo, la *"motivación para el aprendizaje"* puede ser «alta»; «media» o «baja». Estas tres categorías son los valores entre los que puede fluctuar la variable.

**d. Indicadores o definiciones operacionales:** constituyen las maneras de medir o evaluar las variables. Por una parte, qué es lo que va a medirse; por otra, cómo se lo va a hacer. En nuestro ejemplo, se refieren a qué aspectos se tendrán en cuenta para evaluar la *motivación para el aprendizaje* y el *nivel de participación en la clase* y con qué procedimientos se obtendrá esa información. Por ejemplo, la *participación* podría medirse como "la cantidad de veces que el alumno interviene en la clase" o por referencia a "la pertinencia de sus intervenciones a través de observación directa en clase o también preguntando a los docentes de esos alumnos.

Examinaremos detenidamente cada uno de los componentes del dato para una mejor comprensión.

## LA IDENTIFICACIÓN DE LAS «UNIDADES DE ANÁLISIS»

Para poder estudiar cualquier asunto de investigación se requiere desagregarlo, simplificarlo, reducirlo a sus partes componentes.

En la construcción del dato, lo primero es identificar las "partes" componentes del objeto de investigación, y eso supone la identificación de la o las ***unidades de análisis.***

Por otra parte, un mismo asunto o tema de investigación puede dar lugar a distinto tipo de unidades de análisis, según sea la manera en la que se lo trabaja y se lo concibe.

Por ejemplo, una investigación sobre *elecciones musicales en jóvenes y adolescentes* tendrá distintas *unidades* según cuál sea la manera de abordar el tema. Si, por ejemplo, se pregunta:

*¿Qué relación existe entre las elecciones musicales y el clima educativo familiar de los adolescentes?*

Se tendrán ciertas unidades (*adolescentes* y/o *familias de adolescentes*, por ejemplo), mientras que se tendrán otras si la pregunta es:

*¿Cuáles son los principales contenidos de los temas musicales más elegidos por los adolescentes —en un determinado tiempo y espacio?*

En este caso, la unidad de análisis podría ser los *temas musicales.*

***Universos paralelos***. *Para investigar la serie de películas de Matrix, se puede partir de la ciencia ficción o de los videojuegos.*

## LA SELECCIÓN DE UNIDADES DE ANÁLISIS

Una investigación sobre la historia política argentina podría tener unidades de análisis del siguiente tipo:

- períodos presidenciales argentinos.
- etapas históricas según cambios en la organización política del país.

Una investigación demográfica podría valerse de unidades de análisis del siguiente tipo:

- jóvenes de 15 a 25 años del conurbano bonaerense.
- casamientos ocurridos durante el período de la crisis del 2001.

En una investigación psicoeducativa o de evaluación de estudiantes secundarios podríamos tener como unidad de análisis:

- estudiantes que integran la Comisión X de la escuela media Y.

En una investigación sobre geología lunar, las unidades de análisis podrían ser:

- extracciones o muestras del suelo lunar.

Una investigación que se propone hacer un análisis de las películas de la serie de *Matrix*, podría tener como unidades de análisis:

- episodios de la serie Matrix.

• personajes de la serie Matrix.

• películas de ciencia ficción aparecidas en el mismo período que la serie de *Matrix*.

Se han indicado las unidades de análisis sólo a título de ejemplo. Insistimos una vez más en que un mismo tema o campo temático puede requerir el abordaje de distinto tipo de unidades de análisis.

Lo importante en cada caso es que se comprenda que para llevar adelante una investigación con base empírica se requiere de un cierto **material** sobre el cual trabajar. Ese material lo constituyen las "unidades de análisis". Dicho de otro modo: si uno quiere estudiar la geología del suelo lunar no puede tratar a ese suelo como una cosa directamente abordable. Habrá que extraer "muestras", porciones del suelo, sobre las cuales poder investigar.

Si uno quiere conocer el "rendimiento de un conjunto de alumnos", tiene que ir "alumno por alumno" y, más aún, "examen por examen", para luego poder decir algo sobre ese conjunto de alumnos.

Si uno quiere conocer la historia política argentina, debe abordar períodos históricos, fragmentos de esa historia total, para ir construyendo a partir de ellos la resultante del conjunto de ese desarrollo. Las unidades de análisis, serán entonces:

**a.** **entidades** identificables en algún **tiempo y/o espacio** y, por lo tanto, serán también,

**b.** **numerables o computables** (se podrá informar el número de unidades con el que efectivamente se trabajó).

Por ejemplo, para una definición como la siguiente:

*"Alumnos de segundo año de la orientación Y de la escuela X".*

Los casos efectivamente seleccionados (todos los cuales deberán cumplir con los criterios fijados en la definición de la unidad de análisis) serán:

*El alumno Juan Pérez o Alumno 1.*

*El alumno Pedro García o Alumno 2.*

*La alumna Mónica Rodríguez o Alumna 3.*

…..

y así sucesivamente.

Todos estos alumnos deberán pertenecer a la "orientación Y" y a la "escuela X", si es que van a integrar el conjunto de unidades de esa investigación. Por otra parte, en una misma investigación suelen estar implicadas más de una *"unidad de análisis"*. Supongamos que en una investigación de tipo descriptiva queremos averiguar:

*¿Cuáles son las características de los barrios de Buenos Aires, examinando la calidad de las viviendas, el estado de sus calles y los espacios verdes que contiene?*

En esa investigación resultará necesario estudiar, al menos, las siguientes unidades de análisis:

- **barrios porteños**
- **viviendas (de esos barrios)**
- **calles**
- **espacios verdes**

Y cada una de estas *unidades de análisis* serán relevantes para nuestro estudio.

## LAS VARIABLES O LOS SISTEMAS DE CLASIFICACIÓN

Algunos términos que podrían utilizarse como sinónimos o, al menos, equivalentes al de variables serían los siguientes:

*atributos,*

*propiedades,*

*características.*

Serán atributos, propiedades o características potencialmente derivables de las "unidades de análisis". El concepto de variable, como su nombre lo indica, alude a un campo de variaciones o a un sistema de clasificación, de acuerdo al cual pueden clasificarse las unidades de análisis; dicho de otra manera, las variaciones a las que se refiere la variable son "estados posibles" que pueden asumir potencialmente las unidades de análisis. Así, por ejemplo, si la variable es "*color*", lo "*rojo*" constituye una clase de ese sistema de clasificación.

Si, por ejemplo, las unidades son "*individuos humanos*", éstos pueden ser definidos según sean su altura, peso, edad, sexo, estado anímico, etc. Todas éstas serán "variables" de las "unidades" individuos humanos. Si la variable a considerar es "*altura*", los individuos considerados pueden ser altos, otros bajos, otros medio-altos, otros-medio bajos, etc. Aunque pueden variar en cuanto a su altura, todos tendrán, sin embargo, alguna altura: variarán en cuanto al valor, pero no en cuanto a tener (la propiedad o el atributo de la) altura.

La definición de una variable exige cumplir con ciertos criterios formales:

a. Por una parte los valores que la conforman remiten a un "fundamento común".

El "fundamento común" supone que todas las distinciones se realizan sobre un fondo de semejanzas: así "*femenino*" y "*masculino*" se oponen pero sobre un eje común que es la sexualidad o el género.

### CLASIFICACIONES IMPOSIBLES

En el siguiente extracto del cuento de Jorge Luis Borges, "El idioma analítico de John Wilkins", se puede advertir lo que ocurre cuando se clasifica un cierto fenómeno sin atender a un fundamento común.

El cuento se refiere una imaginaria enciclopedia china según la cual los "animales se dividen en: a) pertenecientes al Emperador; b) embalsamados; c) amaestrados; d) lechones, e) sirenas, f) fabulosos, g) perros sueltos, h) incluidos en esta clasificación, i) que se agitan como locos, j) innumerables, k) dibujados con un pincel finísimo de pelo de camello, l) etcétera, m) que acaban de romper el jarrón, n) que de lejos parecen moscas".

En el caso de la enciclopedia china resulta imposible identificar ese fundamento común: cada una de las categorías remite a un fundamento diferente. No es posible identificar el eje que vincula a los distintos valores, ni el criterio que orienta esa selección de términos. No queda claro qué variable está siendo invocada con el valor "etcétera" o con el que dice "de lejos parecen moscas". De allí que no tengamos ni idea de qué criterio seguir para distinguir a los animales en este mundo organizado por la borgeana e imaginada Enciclopedia China.

Adaptado de Mosterin, Jesús. *Conceptos y teorías en la ciencia*, Madrid, Alianza, 1987.

***Inventor de enciclopedias***. *En uno de sus relatos, Jorge Luis Borges imagina una forma de clasificar a los animales de la forma menos esperada.*

b. Por la otra, los valores deben ser excluyentes entre sí, pero conjuntamente exhaustivos.

En la perspectiva de la lógica clásica (fundada por Aristóteles) se postula que algo no puede ser al mismo tiempo A y no A. Si alguien es "joven" no podría, en principio, ser "viejo" en el mismo momento. Los valores deben formularse de tal manera que a cada unidad le corresponda en un cierto momento un valor de la variable (y sólo uno).

De igual modo, la clasificación –o el conjunto de valores que conforman la variable– deben prever todos los estados posibles que puede asumir la unidad de análisis. Eso quiere decir que debe ser "exhaustiva".

Por ejemplo, si nuestras unidades son "*personas*", y la variable "*estado civil*", los valores previstos deben incluir el total de estados *real y lógicamente posibles* que pueden presentar las personas en lo que respecta a su estado civil.

Ello no implica suponer que se trata de un criterio único y exclusivo: por ejemplo, en algunos casos la clasificación podría incluir los siguientes valores:

Soltero/a
Casado/a
Divorciado/separado/a
Unido/a de hecho
Viudo/a

Mientras que en otra circunstancia puede ser conveniente considerar de manera desagregada a los "divorciados" de los "separados" o, por el contrario, agregar o agrupar los "unidos" con los "casados":

Soltero/a
Casado/a o Unido/a
Divorciado
Separado/a
Viudo/a

c. Por último, cuando se define o se crea una variable, ésta debe ser materialmente adecuada a la unidad de análisis de la cual se deriva y ceñirse a los marcos teóricos adoptados para tratarla.

Los criterios de adecuación material se vinculan de manera directa con el recorte o la perspectiva desde la que se trata a las unidades de análisis: si las unidades son perros, éstos pueden ser considerados de muy distinta manera por un anatomista, un biólogo o un etólogo (= estudioso de la conducta). Cada una de esas perspectivas seleccionará distintas variables y valores. El "perro" del anatomista es distinto del perro del etólogo. Este criterio debe definirse dentro de cada investigación.

No siempre es sencillo determinar cuáles son las variables relevantes para abordar adecuadamente el asunto que interesa conocer. Sin embargo, siempre que se formula un problema de investigación –y en mayor medida aún, cuando es posible formular la hipótesis- se precisan o al menos se esbozan las variables prioritarias de la investigación.

## Valores o categorías y sus niveles de medición

El concepto de medición no significa necesariamente que el rasgo o aspecto a medir deba expresarse numéricamente. Medir significa ubicar la unidad de análisis en una de las clases previstas por la variable. Así, por ejemplo, si la unidad es "*cursantes de 2º año de la escuela media*" y la variable es "*nacionalidad*", cada sujeto deberá ubicarse en alguna de las categorías (o valores) previstas por la variable, se trate de "edad", "nivel de logros", "sexo", o cualquier otra.

| Unidad de análisis | Variables | | | |
|---|---|---|---|---|
| | Nacionalidad | Edad | Nivel de logros | Sexo |
| Cursante 1 | Argentino | 15 | Suficiente | Femenino |
| Cursante 2 | Boliviano | 16 | Suficiente | Masculino |
| Cursante 3 | Peruano | 15 | Insuficiente | Masculino |
| Cursante 4 | Argentino | 14 | Suficiente | Femenino |
| Etcétera | | | | |

Un sistema numérico ofrece un modelo o patrón sobre el que proyectar los estados y las variaciones que se registran en el fenómeno que se está analizando. Así, por ejemplo:

- la respuesta a un test,
- el nivel de acuerdo en relación a una pregunta de opinión,
- la adecuación en los resultados de un examen,

pueden expresarse numéricamente (ello supone aceptar que la serie numérica en cuestión ofrece un modelo adecuado para poner en correspondencia las conductas o respuestas observadas y cuantificar las diferencias que se registran en esas respuestas).De acuerdo con esto, se reconoce la existencia de distintas "escalas de medida".

## a. Escalas o niveles de medición nominales:

Es el más básico de los criterios clasificatorios. Consiste simplemente en definir a cada tipo, clase o valor por referencia a una especie de etiquetado o nominalización. La única exigencia que debe cumplir este tipo de clasificación es el de la mutua exclusión de las categorías o valores.

Ejemplo de variables que se expresan (o pueden expresarse) con escalas de medición nominales serían los siguientes:

a. **estado civil: cuyos valores son "soltero/a", "casado/a", "viudo/a", "divorciado/a", "unido/a".**

b. **sexo: "masculino", "femenino".**

c. **nacionalidad: "argentino", "uruguayo", "brasileño".**

## b. Escalas o niveles de medición ordinales:

La escala ordinal reconoce –además del principio de identidad que comparte con la escala nominal- relaciones de jerarquía entre los valores. El orden es un nuevo criterio que se incorpora con esta escala de medición. El lugar que ocupa no es intercambiable con otro, precisamente porque entre ellos se reconocen relaciones de jerarquía.

Las aplicación de estas categorías a las unidades de análisis puede expresarse como relaciones del tipo "mayor que", "menor que", "más de", "menos que".

Ejemplos de variables que utilizan o pueden utilizar esta escala, serían las siguientes:

a. **nivel de ingresos: "alto", "medio", "bajo".**

b. **rendimiento académico: "excelente", "muy bueno", "bueno", "regular", "malo".**

c. **grado de acuerdo: "muy de acuerdo", "algo de acuerdo", "poco de acuerdo", etc.**

## c. Escalas o niveles de medición intervalares:

A las relaciones de jerarquía, las escalas de medición intervalares les agregan la estimación cuantitativa de la magnitud que separa un estado de otro. Al igual que las anteriores, se deben respetar aquí las relaciones de orden, pero se agrega más información ya que se establece un valor numérico que vincula un estado o grado de la variable con otro. En estas escalas, el punto de origen y la unidad de medida son arbitrarios. Por ejemplo, la temperatura medida en grados centígrados tiene asignado un valor cero que no implica "ausencia de temperatura". En este caso el cero se asigna arbitraria y convencionalmente como una referencia que indica el punto de congelamiento de una sustancia que sobre esa temperatura se presenta en estado líquido: el agua.

Ejemplos de este tipo de escala serían los siguientes:

a. **Escala para computar grados de acuerdo y desacuerdo :** "2", "1", "0", "-1", "-2" .

b. **Temperatura en grados centígrados:** "-10", "-5",… "0" …. "5", "10", etc.

c. **Hora del día:** "0:00"; …. "24:00"

## d. Escalas o niveles de medición de razón:

Finalmente las escalas de razón son las que reconocen un cero absoluto y la unidad de medida expresa una variación equivalente en el fenómeno que se mide.

En todo lo demás comparten todas las propiedades de las escalas de intervalos: cada categoría o valor expresa una cualidad característica, la vinculación entre esas categorías reconoce un orden o jerarquía y además la relación entre un valor y el siguiente puede ser estimada cuantitativamente.

Ejemplo de este tipo de escalas serían los siguientes:

a. **peso en kilogramos:** "0"… a "n".

b. **porcentaje de analfabetismo:** "0 %" a "100 %".

c. **Cantidad de personas:** "0" a "n".

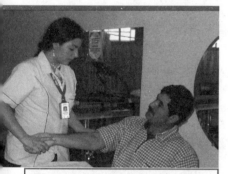

*El cuerpo examinado. Las cifras del Ministerio de Salud hablan de un país con serios déficits de atención sanitaria.*

### LA SALUD NACIONAL

| | |
|---|---|
| Población Total 2003 | 37.869.723 |
| Población Total Varones 2003 | 18.546.559 |
| Población Total Mujeres | 19.323.164 |
| Tasa global de fecundidad | 2,30 |
| Esperanza de vida al nacer: Total | 74,28 |
| Esperanza de vida al nacer: mujeres | 78,10 |
| Esperanza de vida al nacer: varones | 70,60 |
| Porcentaje de población urbana | 89,5 |
| Porcentaje de cobertura de vacuna antipoliomielítica oral en menores de 1 año | 98,2 |
| Porcentaje de cobertura de BCG en menores de 1 año | 100 |
| Porcentaje de cobertura de vacuna antisarampionosa en menores de 1 año | 100 |
| Médicos cada 10.000 habitantes | 32,1 |
| Parteras cada 10.000 habitantes | 1,1 |
| Farmacéuticos cada 10.000 habitantes | 5,1 |
| Enfermeros cada 10.000 habitantes | 3,8 |
| Odontólogos cada 10.000 habitantes | 9,3 |

*Datos del Ministerio de Salud en 2005.*

# El puesto de los indicadores o definiciones operacionales

Como lo hemos señalado en los ejemplos dados al inicio de este capítulo, siempre que se tiene un dato se ha llevado a cabo algún procedimiento para obtenerlo. Aunque sea tan simple como "mirar por uno mismo para saber cómo está el tiempo" o tan complejo como "introducir un reactivo químico para determinar la acidez de una sustancia".

Si queremos tomar nota de un cierto estado de cosas, siempre necesitaremos "indicadores". Eso es lo que le ocurre, por ejemplo, al enamorado o la enamorada: ¿cómo saber si él o ella me ama? Se necesitan indicios para ello: ¿cómo nos mira?; ¿nos busca? ¿se ruboriza al hablarnos? Estos indicios suponen que hay un estado interno que se manifiesta externamente.

Lo mismo se requiere para conocer el "valor que presentan nuestras variables". Si decimos de alguien que "*es muy inteligente*" (en ese caso el valor es "muy inteligente" y la variable podría ser "nivel de inteligencia"), seguramente dispondremos de alguna manera de verificarlo: habremos visto a esa persona resolver problemas difíciles, salir adelante mejor que otros en algún aspecto de su vida, etc.

En investigación no siempre es sencillo encontrar buenos indicadores para las variables de estudio. Entre otras cosas, porque esos indicadores deben garantizar que lo que se mide con ellos, mida lo que queramos que mida —y no otra cosa— y que lo haga adecuadamente.

Por ejemplo, si se quiere medir la variable "*nivel económico de la familia*" no es adecuado averiguar "*qué han comido anoche*". Ese no es un indicador válido: quizá una familia humilde se dio un lujo excepcional anoche y quizá una familia de alto nivel económico decidió tomar sólo una sopa porque había tenido una comilona al mediodía.

Encontrar un indicador válido implica que lo que ese indicador mide coincida con lo que busca medir la variable. Para el ejemplo anterior, quizá resulte más adecuado averiguar "*cuál es la escolaridad máxima alcanzada por los jefes de ese hogar*" o "*cuál es el ingreso promedio del hogar*". De igual modo conviene ser muy cuidadoso a la hora de implementar los **procedimientos** para medir eso que deseamos medir, de modo tal de no distorsionar la información. Si uno quiere saber "*cuál es el ingreso [monetario] de un hogar*" conviene no preguntarle al plomero ni a un niño, aunque ambos puedan hallarse ocasionalmente en el hogar que queremos estudiar. Será mejor preguntarle a un adulto responsable y conocedor del dinero que se maneja en ese hogar y hacerlo de tal modo que esa persona se sienta dispuesta a responder con veracidad.

Examinemos algunos ejemplos de indicadores para las siguientes variables (entre paréntesis se aclara a qué unidades de análisis corresponden):

| Variable | Indicador |
|---|---|
| *Nivel de conocimientos en asignatura X* <br> *(Ua: Alumnos)* | *Número de ejercicios resueltos* <br> *en el examen X* |
| *Hacinamiento* <br> *(Ua: Hogares)* | *Cantidad de personas por cuarto, informadas por algún* <br> *respondente del hogar* |
| *Temperatura* <br> *(Ua: Recipiente o ambiente)* | *Unidades de descenso o ascenso de una columna de* <br> *mercurio en determinadas condiciones instrumentales* |
| *Violencia doméstica* <br> *(Ua: Familias o cónyuges)* | *Situaciones reiteradas de agresión física o psicológica de* <br> *uno de los miembros de la familia o la pareja sobre otro u otros,* <br> *indagando a la víctima u otro testigo de la situación.* |
| *Grado de alcalinidad* <br> *(Ua: Muestras del* <br> *Río de la Plata)* | *Determinación del PH observando la respuesta de la* <br> *sustancia ante ciertos reactivos químicos* |

La información provista por los indicadores sirve, a su turno, para producir la información de la variable. Así, por ejemplo, para decidir qué valor de la variable *"Hacinamiento"* le corresponde a un cierto hogar, será necesario fijar un criterio para trazar equivalencias con el valor del indicador, en este caso *"Cantidad de personas por cuarto (en el hogar)"*.

La equivalencia entre ambos sistemas de valores podría ser del siguiente tipo:

| Valores de la variable <br> *"Hacinamiento"* | Valores del indicador <br> *"Cantidad de personas por cuarto"* |
|---|---|
| Sin hacinamiento | Hasta tres personas por cuarto |
| Con hacinamiento | Más de tres personas por cuarto |

Lo mismo ocurre cada vez que un docente corrige un examen: debe decidir "a partir de cuántas preguntas o de qué porción del examen lo considerará aprobado y a partir de cuánto, reprobado". Al tomar estas decisiones, su trabajo se asemeja al de un investigador cuando equipara cierto corte en los valores de los indicadores con valores de la variable. Fijar esta "equivalencia" entre el valor del indicador y el de la variable puede consistir en un ejercicio relativamente simple, aunque en algunas circunstancias requiera procedimientos más sofisticados, que incluyen el uso de herramientas estadísticas.

Como lo señala el epistemólogo Juan Samaja en su libro *Metodología y epistemología* (Buenos Aires, Eudeba, 1993): "La traducción de la experiencia espontánea a una descripción científica produce ese material básico de la experiencia científica que se llama "dato". Un "dato" es una construcción compleja que, por consecuencia, posee una estructura interna. Esta estructura es su contenido formal invariable (es decir, que está presente en todo dato). Esta estructura general del dato científico tiene cuatro componentes:

1. unidad de análisis (UA),

2. variables (V),

3. valores (v),

4. indicadores (I).

También en los estudios exploratorios, se pueden identificar los elementos de la estructura formal del dato: también e ellos, aunque de manera muho menos precisa y explícita, están presentes operaciones [I] mediante las cuales se identifican estado de cosas [R], que se perciben por medio de funciones de atribución [V] y sujetos de referencia [UA]. En muchos casos, la determinación de estos elementos, y el análisis mismo se hace –conforme se van generando las hipótesis– casi juntamente con la recolección de a información".

## UNA MATRIZ COMO EJEMPLO

A los efectos de integrar las diversas nociones examinadas en este capítulo, desarrollaremos el siguiente ejemplo en el que se ilustra la relación entre las preguntas o problemas, las hipótesis y los componentes del dato científico. Supongamos que un equipo de investigación desea conocer cómo varía en un grupo de adolescentes la actitud ante el tema de la "salud sexual y reproductiva" (es decir, a los cuidados para evitar el embarazo no deseado y la transmisión de enfermedades sexuales) antes y después de recibir infromación sobre este asunto. Se preguntan –entre otras cosas– lo siguiente:

*"¿Cuánto conocen los adolescentes sobre salud sexual y reproductiva?"*

*"¿Qué actitud manifiestan ante estos temas, qué interés muestran en hablar y capacitarse sobre estos temas?"*

*"¿Qué dificultades encuentran para llevar a la práctica lo que saben en relación a los cuidados en la conducta sexual?"*

*"¿Qué cambios se perciben luego de recibir una información adecuada a sus requerimientos e inquietudes?"*

Algunas hipótesis que podrían derivarse de estas preguntas serían:

*"Los adolescentes conocen poco sobre salud sexual y reproductiva".*

*"Tienen una actitud abierta ante estos temas y demandan información y capacitación".*

*"Parte de los problemas ante los cuidados con la sexualidad no se debe a falta de información sino a inhibiciones en la comunicación con la pareja".*

*"La capacitación que responde a sus requerimientos y necesidades contribuye a mejorar la actitud y los conocimientos y los cuidados en la salud sexual y reproductiva".*

La "unidad de análisis" principal de esta investigación serán los *"adolescentes"*.

Deseablemente ese concepto deberá especificarse un poco más, de modo que podríamos acceder a una definición como la siguiente:

*"Adolescentes de 14 a 19 años del área X".*

o,

*"Adolescentes de 14 a 19 años de la escuela X".*

Algunas de las variables y los indicadores que se derivan de los problemas y las hipótesis podrían ser las siguientes:

| Variable | Indicador |
|---|---|
| *Información que disponen sobre cuidados sexuales.* | • *Conocimientos sobre enfermedades de transmisión sexual y sus mecanismos de contagio.*<br>• *Conocimientos sobre cuidados y métodos para evitar el contagio.* |
| *Información que disponen sobre cuidados para evitar embarazos.* | • *Conocimientos sobre los mecanismos implicados en la concepción.*<br><br>• *Conocimientos sobre métodos de protección para evitar el embarazo.* |
| *Actitud ante los temas de salud sexual y reproductiva.* | • *Interés manifestado en recibir información sobre salud sexual y reproductiva.*<br><br>• *Grado de inhibición o vergüenza que suscita el tratamiento de estos temas* |
| *Problemas que encuentran en el cuidado de su salud sexual y reproductiva.* | • *Dificultades que manifiestan para llevar a la práctica los conocimientos adquiridos en el cuidado de la salud sexual y reproductiva.*<br><br>• *Razones manifiestas que impedirían el efectivo cuidado de la salud sexual y reproductiva.* |

Como se advierte en el desarrollo de este ejemplo, en algunas ocasiones resulta factible prever de manera anticipada los "valores" que asumirán los indicadores y las variables mientras que en otros esos valores serán el resultado del trabajo de investigación.

Un indicador que permitiría disponer de valores *a priori* sería el siguiente:

| *Indicador* | *Valores* |
|---|---|
| • *Interés en recibir información sobre salud sexual y reproductiva.* | *Alto* |
| | *Medio* |
| | *Bajo* |
| | *Nulo* |

| *Indicador* | *Valores* |
|---|---|
| • *Grado de inhibición o vergüenza ante temas de sexual y reproductiva.* | *Manifiesta inhibiciones* |
| | *No manifiesta inhibiciones* |

Con estos dos indicadores podría construirse la variable "*Actitud ante el tratamiento de los temas de salud sexual y reproductiva*" cuyos valores podrían ser: *"Actitud positiva" "Neutra"* o *"Negativa"*.

Finalmente, como esta investigación se propone evaluar la presencia de cambios, algunas de estas variables deberían medirse en diversos momentos en el tiempo: al menos antes y después de recibir la capacitación. La organización y puesta en marcha de una investigación como ésta atañe por una parte a las cuestiones del *diseño de investigación* y, vinculado a ella, al *proceso de producción y tratamiento de datos,* temas que trataremos en los próximos capítulos.

> UN DATO ES UNA UNIDAD DE INFORMACIÓN.
>
> EL PRIMER PASO ES IDENTIFICAR LAS UNIDADES DE ANÁLISIS.
>
> CADA UNIDAD TIENE VARIABLES.
>
> LAS VARIABLES PUEDEN MEDIRSE DE MODO NOMINAL, ORDINAL O INTERVALAR. PARA MEDIR LA VARIABLE SE NECESITAN INDICADORES.

- Boudon y Lazerfeld: *Metodología de las ciencias sociales*, vol. I y II, Barcelona, Laia, 1979.

- Bourdieu, Pierre; Chamboredon, Jean-Claude y Passeron, Jean-Claude: *El Oficio del sociólogo*, Buenos Aires, Siglo XXI, 1975.

- Galtung, J.: *Teoría y técnicas de la investigación social*, Buenos Aires, Eudeba, 1993.

- Rojas Soriano, Raúl: *Guía para realizar Investigaciones Sociales*, México, Plaza y Valdés, 1997.

- Samaja, Juan: "Parte III: Matrices de datos: presupuestos básicos del método científico", en *Epistemología y Metodología*, Eudeba, 1993.

- Samaja, Juan: *Semiótica y dialéctica*, Buenos Aires, JVE, 2000.

- Selltiz, Claire y otros: *Métodos de Investigación en las Relaciones Sociales*, RIALP. Madrid, 1988.

# Capítulo VI. Estrategias o diseños de investigación científica

*La tradición de cada área de saber nos enseña el modo de llegar a esos datos que estamos buscando.*

## El concepto de "diseño" de investigación

El proceso de investigación puede definirse por el conjunto de actividades que se realizan para encontrar las (mejores) respuestas a los problemas que lo motivan.

A lo largo de la historia de la ciencia, se han ido encontrando distintas maneras de buscar estas respuestas. Algunos de estos caminos se fueron revelando como buenas estrategias para llegar al objetivo buscado y por eso se fueron transmitiendo a través de generaciones de investigadores. Esos caminos se conocen hoy con el nombre de *diseños de investigación.*

La práctica de la investigación, como todo proceso abierto, encuentra formas de abrirse paso en la búsqueda de nuevos caminos que potencien sus logros y permitan abordar nuevos asuntos. Así, por ejemplo, se han desarrollado actualmente nuevas estrategias de investigación basadas en técnicas de modelización por computadora, que se vienen realizando hace apenas un cuarto de siglo y que hacen posible la experimentación por *simulación.*

Distinguiremos tres grandes tipos de investigaciones, y dentro de cada uno de ellos identificaremos los distintos diseños, según sea el número y la manera de tratar las unidades de análisis y las variables y las mediciones que se realicen a lo largo del tiempo.

Los tres tipos de investigaciones que consideraremos serán:

1. **las investigaciones descriptivas.**

    - **simples.**

    - **taxonómicas.**

    - **correlaciones que no implican causalidad.**

2. **las investigaciones explicativas:**

    - **experimentales.**

    - **correlaciones causales.**

3. **las investigaciones interpretativas:**

    - **sin protagonismo/participación de los investigadores.**

    - **con protagonismo/participación de los investigadores.**

Como adelantamos, para determinar los distintos diseños que se derivan de esta clasificación, consideraremos en cada caso la referencia a:

- **el *número de variables consideradas*, según la cual se distinguen diseños:**
  - univariados (una sola variable).
  - bivariados (dos variables).
  - multivariados (más de dos variables).
- **el *número de unidades de análisis* consideradas, distinguiendo:**
  - estudios de caso.
  - muestras pequeñas (o intensivas).
  - muestras grandes (o extensivas).
  - poblaciones (total de casos).
- **el *número de mediciones u observaciones* que se hacen a lo largo del tiempo.**
  - transversales o transeccionales (una sola medición en el tiempo).
  - longitudinales (varias mediciones en el tiempo).

## INVESTIGACIONES DESCRIPTIVAS

Este tipo de investigaciones se propone *describir el comportamiento de variables* y/o identificar *tipos o pautas* características resultantes de las combinaciones de un cierto número de ellas. Las investigaciones descriptivas se ocupan entonces de identificar las variables relevantes del objeto o asunto investigado, y luego de averiguar cómo se comportan dichas variables.

Así, por ejemplo, si se trata de conocer

*¿cómo se enamoran hoy los jóvenes? ¿qué piensan sobre el amor?*

Será necesario encontrar a un importante grupo de adolescentes y averiguar con ellos y de manera precisa qué piensan al respecto. Los resultados de la investigación podrán ser parecidos a este informe surgido de una investigación real:

*Él y ella. A la hora del amor, hombres y mujeres tienen prioridades muy diferentes.*

### LO ATRACTIVO

*"Los resultados fueron sorprendentes. Tanto ellas como ellos colocaron en primer lugar la atracción mutua y el amor; segundo, la confianza; tercero, la simpatía, y cuarto, la madurez, en el quinto lugar el atractivo físico (para las adolescentes ocupa la posición novena) y para las mujeres, el deseo de tener una familia e hijos (que para ellos ocupa sólo el séptimo lugar).*

*Para el grupo femenino es menos importante que su pareja cocine o haga tareas domésticas. Las relaciones sexuales satisfactorias ocupan, para ellas, el puesto número 11, mientras que los varones les asignan el noveno lugar".*

[Investigación a cargo de la doctora María Marta Casullo. Texto completo en http://www.lanacion.com.ar/02/08/18/dg

Como se advierte, tenemos aquí los resultados obtenidos luego de evaluar una *muestra de adolescentes* entrevistados y los valores que presentan algunas de las variables trabajadas. En este caso la variable es *lugar o importancia que le adjudican a la atracción mutua, la confianza, la simpatía, etc.* (Los valores de cada una de esas variables van de 0 a al número de ítems posibles, ya que se les pidió que completaran por número de importancia el valor que adjudicaban a cada uno de ellos).

## EL ORDEN DE LOS ELEMENTOS

En otros casos la investigación descriptiva busca identificar taxonomías o tipologías organizadas según algún criterio rector. Uno de los ejemplos más interesantes de investigación descriptiva producidos por la ciencia es el de la famosa tabla de los elementos de Mendeleiev.

Luego de varios y reiterados intentos por encontrar un principio ordenador que permitiera organizar los elementos conocidos en familias que presentaban propiedades similares, el químico ruso Mendeleiev descubrió relaciones entre las propiedades y los pesos atómicos de los halógenos, los metales alcalinos y los metales alcalinotérreos, concretamente en las series Cl-K-Ca, Br-Rb-Sr y I-Cs-Ba. En un esfuerzo por generalizar este comportamiento a otros elementos, creó una ficha para cada uno de los 63 elementos conocidos en la que presentaba el símbolo del elemento, su peso atómico y sus propiedades físicas y químicas características. Cuando Mendeleiev colocó las tarjetas en una mesa en orden creciente de pesos atómicos disponiéndolas como en un solitario quedó formada la tabla periódica. En 1869 desarrolló la ley periódica y publicó su trabajo *Relación de las Propiedades de los Elementos y sus Pesos Atómicos*. La ventaja de la tabla de Mendeleiev sobre los intentos anteriores de clasificación era que no sólo presentaba similitudes en pequeños grupos como las tríadas, sino que mostraba similitudes en un amplio entramado de relaciones verticales, horizontales y diagonales.

[Texto adaptado de http://herramientas.educa.madrid.org/tabla/evolucion/historiasp5.html]

**El químico y su tabla**. *El ruso Mendeleiev distribuyó los elementos de acuerdo a su peso atómico para poder clasificarlos.*

En el caso de Mendeleiev, la variable clave fue la de los "pesos atómicos" que se correspondía además con ciertas "propiedades de los elementos", dando como resultado un sistema organizado y coherente que parece hacer emerger una suerte de orden oculto en la naturaleza.

Se puede reconocer un conjunto de investigaciones cuyo propósito es identificar la combinación que presentan las diversas unidades de análisis en las distintas variables.

Por ejemplo, si se dice que "*nórdicos son (o tienden a ser) personas altas y rubias*" mientras que los "*latinos son bajos y morochos*" se están comparando dos poblaciones según su procedencia geográfica, atendiendo al comportamiento que presentan las variables:

Color de cabello

Estatura

Según este ejemplo, esperaríamos que sean más los sujetos nórdicos con el valor "*rubio*" que con valor "*morocho*" en la variable "*color de cabello*".

En algunas ocasiones (en particular cuando se trata de variables cuantitativas) esas combinaciones pueden identificarse por medio de *correlaciones* entre las variables.

El término *correlación* significa "variación conjunta" entre dos acontecimientos: cuando uno cambia, el otro también lo hace de alguna manera sistemática, en la misma o inversa dirección que el otro.

Así, puede llegar a ocurrir que el aumento en la talla se corresponda con un aumento proporcional en el número de calzado o que la mayor altura de un árbol se correlacione de manera proporcional con la mayor profundidad de su raíz.

Algunas investigaciones se proponen identificar este tipo de regularidades. Es decir, que evalúan cómo varían conjuntamente dos o más variables.

Que dos variables se modifiquen de manera sistemática no significa, sin embargo, que una sea la causa de otra (tema que ampliaremos al dedicarnos a las investigaciones explicativas).

Como síntesis, investigaciones descriptivas son aquéllas que tienen como propósito evaluar:

a) el comportamiento de una o varias variables, tomadas de manera independiente, y/o

b) el comportamiento conjunto de variables al modo de correlaciones (que no implican causalidad) y/o

c) la identificación de combinaciones de valores entre las variables (perfiles o pautas).

## Distintos tipos de diseños descriptivos

Dada la enorme variedad de investigaciones descriptivas, es posible pensar en diseños muy distintos (considerando de manera conjunta la cuestión de las variables, las unidades de análisis y las mediciones en el tiempo). Sólo a modo de ejemplo, comentamos los siguientes:

- *univariados, con muestras extensivas o poblaciones, longitudinales*:

  (una sola variable, con muchas unidades de análisis, medidas a lo largo del tiempo). A modo de ejemplo: sería el caso de investigaciones destinadas a estudiar el ritmo de crecimiento en la talla de una determinada población.

- *multivariados, de muestras intensivas, longitudinales* (muchas o más de dos variables, medidas en pocas unidades de análisis, a lo largo del tiempo): podría tratarse de una investigación destinada a evaluar la evolución del comportamiento (cambios de carácter, de vínculos, de comunicación, etc.) de un grupo de sujetos sometidos a condiciones de aislamiento de su medio externo (pongamos por caso experimentos del tipo de Gran Hermano), durante un cierto período.

- *bivariados de muestras extensivas, transeccionales* (dos variables, medidas en muchas unidades de análisis, en un solo momento): correspondería a una investigación destinada a evaluar si el color de pelo y el color de ojos se corresponden de manera frecuente en una población o en una muestra grande de sujetos.

- *bivariados, con muestras extensivas, longitudinales* (dos variables, medidas en muchas unidades de análisis, a lo largo del tiempo): por ejemplo, investigaciones que se propongan averiguar cómo se correlaciona la respuesta a una prueba que supuestamente podría predecir el éxito escolar y los logros efectivamente alcanzados en la escuela luego de un cierto período.

Hay unas pocas combinaciones que no pueden funcionar como investigaciones descriptivas: sería el caso, por ejemplo, de investigaciones de *caso único, univariado, transeccional.* Eso significa, la medición de una única variable, en una única unidad de análisis, en un único momento. Esa investigación tendría como resultados informaciones como la siguiente: "Juan es rubio".

Aún cuando se trate de asuntos cuya medición puede ser enormemente dificultosa o excepcional, pongamos por caso "la temperatura del sol en un cierto momento", difícilmente pueda hacerse de manera puntual o de una única vez.

## INVESTIGACIONES EXPLICATIVAS

A diferencia de las investigaciones descriptivas, en este caso se busca determinar no sólo el comportamiento de las variables sino además la dependencia o vinculación que unas variables mantienen con otras.

De manera más específica, en este tipo de investigaciones interesa probar si el comportamiento de una variable (o varias) puede funcionar como factor o causa explicativa del comportamiento de otra (u otras) variable.

Estas vinculaciones se pueden probar por medio de dos tipos de estrategias: unas *correlacionales* y otras *experimentales.*

### La investigación que postula correlaciones

Ya hemos tenido ocasión de definir el concepto de *correlación*, pero lo hemos hecho en relación a los estudios descriptivos. En este caso, ampliaremos la noción para examinar las *correlaciones que implican (o pueden implicar) causalidad.*

Por ejemplo, si se afirma como hipótesis que:

> *"La pobreza familiar atenta contra la educación de los hijos".*

De modo que:

> *"A mayor pobreza familiar, menor educación de los hijos".*

Esta afirmación no sólo dice que *"pobreza familiar"* y *"educación de los hijos"* están correlacionadas (cuando una sube la otra baja); sino que además una es causa explicativa de la otra.

Que algún fenómeno presente una pauta de comportamiento que **varíe sistemáticamente (de manera directa o inversa) con algún otro fenómeno** no garantiza que uno de esos fenómenos constituya una causa explicativa del otro.

Así, por ejemplo, podría llegar a ocurrir que efectivamente se constate que:

*A mayor población mundial mayor distancia entre el cometa Halley y la Tierra.*

Esa asociación entre el comportamiento del cometa y el crecimiento de la población no significa que uno explique al otro, que uno sea la causa del otro.

En general, nuestro conocimiento del mundo nos permite reconocer cuándo una *correlación* puede implicar una relación causal entre las variables.

Ese conocimiento nos permite también identificar cuál es la variable que explica y cuál la variable explicada.

Por ejemplo, si se comprueba que hay una correlación entre

*nivel de consumo de carbohidratos en la dieta y el peso corporal (a mayor consumo de carbohidratos, mayor peso corporal)*

no pensaríamos que el *"peso"* explica el *"consumo de carbohidratos"* sino que el *"consumo de carbohidratos"* explica el *"peso"*.

De modo que tendremos ***correlaciones que implican causalidad*** y ***correlaciones que no implican causalidad*** (las que ya examinamos al referirnos a los estudios descriptivos).

-Una *correlación implica causalidad* cuando:

- una o más variables varían sistemáticamente de manera directa o inversa con otra u otras.

- la presencia de una variable es anterior en el tiempo a otra ("la ingesta de carbohidratos es anterior al aumento de peso").

- nuestro conocimiento del mundo autoriza postular esa relación causal.

-Una *correlación no implica causalidad* cuando:

- una o más variables varían sistemáticamente de manera directa o inversa con otra u otras.

- la presencia de una y otra variable no guarda ninguna relación de anterioridad con respecto a otra en el tiempo.

- nuestro conocimiento del mundo no autoriza a postular que haya una relación causal.

## Distintos tipos de diseños correlacionales según el número de variables, unidades y mediciones

Generalmente, la investigación correlacional implica trabajar con muestras extensas o poblacionales y puede realizarse tanto en un mismo momento en el tiempo (de manera transversal) o correlacionando distintas mediciones en el tiempo (longitudinal); mientras que en cuanto al número de variables puede ser univariado (siempre y cuando la correlación se haga en distintos momentos en el tiempo), bivariado o multivariado.

Nuevamente, a modo ilustrativo señalamos sólo algunos ejemplos de *diseños correlacionales*:

- **bivariados, transversales, con muestras extensivas**: por ejemplo, un estudio dedicado a determinar en una muestra la correlación existente entre el nivel de rigidez de los padres y el nivel o grado de conducta antisocial de los hijos,

- **bivariados, longitudinales, con muestras extensivas**: podría ser el caso de una investigación interesada en conocer el incremento en los niveles del ruido en una ciudad y la disminución del número de aves existentes en esa ciudad, a lo largo de un cierto período.

- **multivariados, transversales, poblacionales**: una investigación de este tipo podría ser la que se propone medir a través de un censo el nivel económico de las personas y su correlación con el número de electrodomésticos del hogar, la cantidad de ambientes que tiene la vivienda que ocupan, el nivel de calidad de esa vivienda, el número de hijos, etc.

## La investigación experimental

La noción de "experimento" se remonta al nacimiento mismo de la ciencia moderna, en cuyo origen suele ubicarse a Galileo Galilei. Galileo introdujo un nuevo método en el camino de la búsqueda de la verdad y el fundamento del conocimiento, que –como lo hemos señalado en el capítulo 1- consistió en sustituir el principio de autoridad (generalmente "autoridad religiosa o derivada de ella") por el principio de la experiencia. A partir de Galileo, conocer es una actividad estrechamente vinculada con la experiencia: para saber cómo son las cosas, qué leyes las determinan, etc., es necesario experimentar, buscar la respuesta a nuestros interrogantes por medio de procedimientos específicos.

Al defender su método y las evidencias que ponía al descubierto (en apoyo de las tesis copernicanas contra las de Tolomeo), Galileo llegó a poner en riesgo su vida, precisamente porque atentaban contra la concepción fijada por la Iglesia de su tiempo. Galileo tuvo que retractarse de sus hallazgos científicos y de esa manera salvó su vida.

***Mirar de otra manera****. El astrónomo Copérnico demostró que es la Tierra la que gira alrededor del sol contra las ideas de Ptolomeo y de la Iglesia.*

### ALREDEDOR DEL SOL

La Teoría heliocéntrica fue propuesta por Nicolás Copérnico, uno de los astrónomos más importantes de la historia, con la publicación en 1543 del libro *De Revolutionibus*, en el cual afirmaba que la Tierra y los demás planetas giraban en torno a un Sol inmóvil. Esta publicación marcó el comienzo de una revolución en astronomía al poner en evidencia la falsedad de la teoría geocéntrica de Claudio Ptolomeo (la Tierra como centro del Universo). En el sistema heliocéntrico resultaba mucho más sencillo realizar el cálculo correcto de las posiciones planetarias, y por ello Copérnico no dudó en romper con una tradición de más de 2000 años de una Tierra en reposo. El heliocentrismo ya había sido descrito en la antigüedad por Aristarco de Samos, quien se había basado en medidas sencillas de la distancia de la Tierra al Sol que determinaban un tamaño del Sol mucho mayor que el de nuestro planeta. Por esta razón Aristarco propuso que era la Tierra la que giraba alrededor del Sol y no a la inversa.

[Fragmento extraído de www.es.wikipedia.org/wiki/Teoría_heliocéntrica

Actualmente se entiende por investigación experimental aquella en la que se ponen a prueba hipótesis que postulan relaciones de tipo causal entre dos o más variables; y en las que esa puesta a prueba se realiza bajo ciertas condiciones "creadas" y "controladas" por el investigador/a.

La diferencia entre las investigaciones experimentales y las correlaciones que implican causalidad es que en las primeras es el investigador quien crea o motiva la relación causal a través del experimento, mientras que en la segunda, la relación ya se ha dado y sólo se miden o evalúan hechos consumados.

Hipótesis que plantean relaciones que podrían llevar luego a investigaciones experimentales serían las siguientes:

*"El método de enseñanza tiene efectos sobre los logros en el aprendizaje".*

*"La introducción del reactivo A acelera los tiempos de cierta reacción química".*

*"Sonreír mejora el trato y la atención de las personas cuando se las interroga".*

En la vida cotidiana solemos realizar distintas clases de experimentos:

- introduciendo cambios en nuestra vestimenta para ver luego qué efecto produce en las personas que nos interesan;

- iniciando una dieta, buscando que se produzca algún cambio en nuestro peso corporal;

- probando diversos métodos de estudio para evaluar cuál produce mejores resultados.

Sin embargo, es poco frecuente que sometamos esas experiencias a algún tipo de control riguroso que nos permita juzgar de manera más o menos objetiva los efectos conseguidos.

Tomemos por caso la afirmación popular, según la cual

*"Si se les habla a las plantas, crecen mejor".*

Imaginemos que alguien quisiera averiguar si esto es efectivamente así, es decir, si resulta posible determinar de modo objetivo si se confirma o no esta presunción.

Para ello necesitará realizar un experimento.

Lo que seguramente deberá hacer es conseguir varios ejemplares de algún tipo de planta, hablarles a algunos y no hacerlo a otros y evaluar luego el crecimiento que se comprueba en ambos grupos.

Ahora bien, si lo hiciera simplemente así, no podrá saber si ese mayor crecimiento se debió sólo a la charla recibida, o si existieron otros factores que potencialmente contribuyeron en el crecimiento, pero que no estuvieron relacionados precisamente con el asunto del habla.

Será conveniente entonces que en primer término se asegure que todas las plantas que van a participar de su experiencia –en ambos grupos– resulten semejantes en cuanto a tipo, calidad, edad o ciclo de su desarrollo, etc.

Deberá cerciorarse también de que todas las plantas estén expuestas a las mismas condiciones y reciban los mismos nutrientes y agua: la misma calidad de la tierra, la misma intensidad y horas de luz o sol, el mismo volumen y frecuencia de riego, etc. (no sería extraño, por ejemplo, que alguien perciba que "su planta crece más porque le habla", cuando en verdad ocurre que, como le habla, la humaniza y, como la humaniza, la atiende más y mejor que a otras, a las que sólo trata como "simples" plantas).

Es posible que las plantas crezcan, se les hable o no, de modo que puede esperarse que muestren una cierta disposición a crecer independientemente del nivel de conversación de que sean objeto.

Pero lo que postula nuestra hipótesis, precisamente, es que deberá verificarse un crecimiento diferencial a favor de las plantas a las que se les habla. Por lo tanto, la experiencia consistirá en que una muestra de plantas sea expuesta al silencio mientras que la otra recibe determinadas dosis de charla cotidiana.

Podríamos, incluso, si quisiéramos ser más precisos, incluir varias muestras y administrar distintas intensidades de charla a cada una: unos cinco minutos de conversación a una, media hora a otra, tres horas a otra…

A medida que pasen los días iríamos verificando en cada caso el nivel de crecimiento de las plantas (en promedio, ya que tenemos varias en cada muestra) y anotando ese nivel en un registro en el que conste también cuál es la dosis de charla que esa muestra ha recibido a lo largo de la experiencia.

Luego de un tiempo prudencial –según sea la naturaleza de nuestras plantas- evaluaremos los resultados, y esa evaluación consistirá en determinar si efectivamente los resultados observados permiten concluir que hay diferencias significativas, relevantes entre los distintos grupos y el grupo que no ha recibido ninguna dosis de charla. Recordemos que en este caso, nuestra hipótesis postularía algo así como:

*"A mayor dosis de charla mayor nivel de crecimiento".*

Aquí aparece un concepto importante al que debemos prestar atención: el de *diferencias significativas*. Ya que siempre habrá diferencias entre los distintos grupos, teniendo en cuenta que estamos hablando de seres naturales que se desarrollan con variaciones que oscilan dentro de ciertos rangos esperables.

Lo que interesará en este caso es averiguar si las diferencias que se observan entre los grupos se deben al mero azar, o si, por el contrario, su comportamiento permite pensar que se deben a algún factor que pueda explicar esas diferencias. Para ello se deberá probar que las diferencias son sistemáticas. En nuestro ejemplo, si las plantas más expuestas a la conversación fueron las que crecieron más en promedio y si luego les siguen las que recibieron un nivel de habla intermedio y así sucesivamente.

Si, por ejemplo, crecieron más aquéllas a las que se les habló menos, pero, a su turno, éstas superaron a las que no se les habló, deberíamos rechazar nuestra hipótesis porque esas diferencias no indican una relación clara entre las dos variables.

Los investigadores se valen también de técnicas estadísticas que permiten determinar si esas diferencias observadas pueden atribuirse al azar (es decir, que son demasiado pequeñas y forman parte de las variaciones que naturalmente esperaríamos cualquiera sea la situación de las plantas) o, si por el contrario, se trata de diferencias relevantes que hacen pensar que existe algún factor que las provoca.

## Los componentes y las condiciones de todo diseño experimental

El ejemplo anterior nos permite ahora considerar los componentes más relevantes que deberán tenerse en cuenta en cualquier diseño de investigaciones experimentales:

Por una parte, la presencia de una **variable independiente o explicativa** (en la jerga experimental también se las llama "factor"): en el ejemplo, sería el "nivel de habla recibido".

Por otra parte, una **variable (o factor) dependiente o explicado**: en el ejemplo, "el nivel de crecimiento".

En tercer término, lo que se llaman **variables extrañas o contaminadoras**, en el ejemplo: el nivel de agua recibido, el nivel de luz, la cantidad y calidad de los nutrientes de la tierra, etc.

En todos los casos, la **unidad de análisis de referencia** es siempre la misma: "la planta" o los "grupos de plantas" que hemos integrado a los fines de esa investigación.

Examinemos con mayor detalle la cuestión de las variables y su función en las hipótesis y en el diseño experimental:

Por una parte, se habla de variable independiente o explicativa porque se supone, al formular la hipótesis, que ésa es la variable que permite explicar el comportamiento de otra u otras variables. En nuestro ejemplo y de acuerdo con la hipótesis, el nivel de habla explica el nivel de crecimiento, de modo que "nivel de habla" es la variable independiente.

En segundo lugar, se llama variable dependiente o explicada, porque se supone que su comportamiento depende o se explica a partir del comportamiento (o variaciones) de otra variable o variables. En nuestro ejemplo: el "nivel de crecimiento" es la variable explicada o dependiente.

No hay *a priori* criterios para juzgar si una variable puede o debe ser independiente o dependiente: eso depende de cómo haya sido planteada la hipótesis. Bajo ciertas condiciones, una variable puede suponerse como independiente y, bajo otras, como dependiente: pongamos por caso, una hipótesis que postulara que:

> *"la motivación para el estudio, mejora el logro del estudiante".*

En ese ejemplo, la "motivación para el estudio" es la variable independiente, y el "nivel de logros" es la variable dependiente. Sin embargo, podría reconocerse que de igual modo que

> *"el nivel de logros mejora o contribuye a la motivación para el estudio";*

y en ese caso, lo explicado se torna explicativo y viceversa. La función de las variables resultará del modo en que haya sido planteada la hipótesis. Por supuesto que hay casos en que esas funciones no podrían invertirse. Pensemos, por ejemplo, en el caso de una hipótesis que postulara que:

> *"la ingesta de dulces contribuye al desarrollo de caries".*

No sería del todo admisible –por lo que nos dicta el sentido común, una hipótesis que sostuviera que:

> *"el desarrollo de caries contribuye a la ingesta de dulces".*

***Todos no son iguales.*** *Los niños se desarrollan diferente según el lugar del mundo donde vivan.*

## LOS NIÑOS DEL MUNDO TIENEN EL MISMO POTENCIAL DE CRECIMIENTO

La Organización Mundial de la Salud (OMS) acaba de difundir el nuevo Patrón Internacional de Crecimiento Infantil referido a los lactantes y niños pequeños. La nueva herramienta confirma que todos los niños, independientemente del lugar en el que hayan nacido, tienen el potencial de desarrollarse en la misma gama de tallas y pesos. El nuevo patrón demuestra que las diferencias en el crecimiento infantil hasta los cinco años dependen más de la nutrición, las prácticas de alimentación o el medio ambiente que de factores genéticos o étnicos.

Noticia publicada en el *Diario de seguridad alimentaria* 05/08/2006

Al tercer tipo de variables, las denominamos *"variables extrañas o contaminadoras"*. Se definen de esa manera porque resultan extrañas a la relación causal que se quiere probar en la hipótesis, pero no son extrañas al fenómeno investigado. Precisamente por ello, es necesario tenerlas en cuenta y "controlar" su efecto potencial en la relación postulada. En nuestro ejemplo, las variables extrañas serían: "nivel de riego", "intensidad y exposición a la luz", "nutrientes", etc.

Se advierte que todos esos factores no son "extraños" al crecimiento de las plantas: por el contrario pueden llegar a influir sobre él. Por esa razón es necesario controlarlos. Si no tuviéramos en cuenta la presencia de todos estos factores, no podríamos saber, al finalizar nuestra experiencia, si la diferencia que observamos entre los distintos grupos de plantas –en caso de constatarse- se debieron al "nivel de habla recibida" o a otros factores como diferencias en el riego, en la luz, en el estado que tenían al comenzar la experiencia, etc.

Podemos ahora resumir lo dicho hasta aquí señalando que un *diseño experimental* vincula tres tipos de variables: las variables independientes (VI), las variables dependientes (VD) y las variables extrañas o contaminadoras (VE).

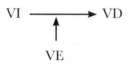

El diseño se propone garantizar que el comportamiento de la *variable dependiente* se debe pura y exclusivamente a los efectos producidos por el comportamiento de la *variable independiente*.

De acuerdo con ello, en la investigación experimental se trata de "**manipular** la *variable independiente*", "**medir**" la *variable dependiente* y "**controlar**" las *variables extrañas o contaminadoras*.

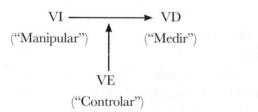

**a) Manipular la variable independiente** significa que el investigador/a será quién decida cómo forma los grupos o las muestras de casos y quien establezca qué valor o nivel de la variable le corresponderá a cada uno.

En nuestro ejemplo, se formaron dos o más grupos de plantas según semejanzas en un conjunto de variables consideradas relevantes y a cada uno se le administró un determinado *"nivel de habla"*.

Lo mismo ocurriría con una investigación que se propusiera relacionar el efecto de *"distintos métodos de enseñanza en los logros de un grupo de estudiantes"* o el *"efecto de un tratamiento para curar determinada afección en aves"*. En ese caso, el investigador decidirá cómo formar sus grupos de estudiantes o de aves, y qué método aplicará a cada grupo de estudiante, o qué tipo de tratamiento aplicará a los distintos grupos de aves.

**b)** En lo que respecta a la **variable dependiente,** se pide que sea **medible**. Eso significa que debe ser posible disponer de indicadores adecuados (sensibles, confiables y válidos) para registrar los cambios ocurridos en esa variable –con el fin de evaluar luego si esos cambios se deben a la variable independiente. Así, por ejemplo, nuestra investigación sobre el crecimiento de las plantas no hubiese tenido destino si nos hubiésemos propuesto estimar el "efecto del habla en el estado anímico de las plantas".

Es necesario que el indicador elegido capte aquellas variaciones que, aunque sean pequeñas, puedan resultar relevantes para la puesta a prueba de las hipótesis. A eso nos referimos al hablar de "sensibilidad". Una vez más, no hay criterios *a priori* para determinar si una variación ocurrida en la variable dependiente es pequeña o grande. Eso dependerá de la naturaleza del fenómeno que se está evaluando. Si en nuestro ejemplo de las plantas trabajamos con muestras de tréboles, tendremos grados de variaciones algo distintos a los que obtendríamos si nuestras muestras hubiesen sido de ombúes. Unos milímetros pueden ser significativos en el primer caso, y absolutamente despreciables en el segundo. Lo que importa es que la variable dependiente haya sido definida o pueda ser definida de acuerdo a criterios que hagan posible su medición.

En lo que respecta a la confiabilidad y la validez de los criterios indicadores, ya nos hemos referido a ello en el capítulo de "matriz de datos". Recordemos aquí que la validez puede definirse de manera general como la adecuación entre la definición conceptual de la variable y su traducción empírica; dicho de otro modo, que el indicador mida lo que dice o quiere medir: si se trata de evaluar el "nivel socioeconómico de los hogares" (variable) no estaremos garantizando la validez de los indicadores si los medimos en términos de "tenencia de perro en el hogar", porque el indicador se refiere a algo completamente ajeno al asunto de la variable. Aunque este ejemplo es grotesco, en muchas ocasiones resulta difícil garantizar la validez de los indicadores (como ocurre, por ejemplo, cuando se trata de evaluar distintos tipos de inteligencia, de competencias mentales, etc.). En esas situaciones se recurre a diversas pruebas (se las llama precisamente pruebas de validez) que contribuyen a determinar si los indicadores están midiendo estrictamente aquello que se espera que midan.

**c)** Finalmente, el gran desafío del diseño experimental se cifra en lo que hemos llamado el **"control de las variables extrañas o contaminadoras"**.

Como el objetivo de la investigación experimental es averiguar qué efectos producen en la variable dependiente las variables consideradas independientes, se debe garantizar que no existan otras variables que influyan en esta relación.

Una de las maneras de "controlar" la situación experimental es a través de la equivalencia de los grupos que participan en la experiencia, al menos en todos aquellos aspectos que se consideran contaminadores para la relación entre las variables que quieren estudiarse.

Existen distintas maneras de formar los grupos para garantizar en alguna medida que en todos ellos las unidades presentan semejantes características en lo que respecta a los intereses del experimento:

- una es la formación de *grupos aleatorios*: los grupos se forman de manera azarosa. Se espera de ese modo estimar la probabilidad de una distribución homogénea (aunque por supuesto esto nunca queda completamente garantizado, porque se trata de probabilidades).

- técnica de *bloqueo*: los grupos se forman agregando al azar más el control de una o más variables contaminadoras. Por ejemplo, si el nivel de inteligencia constituye una variable relevante en un estudio en el que se quiere medir el efecto de la motivación para el aprendizaje, pueden formarse "bloques" según niveles de inteligencia medidos por algún test y luego utilizar el azar dentro del grupo.

- grupos *apareados*: se emplea la técnica de apareo para conseguir grupos experimentales equivalentes, a partir de una medida previa en la variable dependiente. Aparear significa emparejar los grupos por referencia a alguna o varias variables. Una vez que se define cuál es la variable o variables relevantes, se evalúa el valor que tienen todos los sujetos en esa/s variable/s (pongamos por caso nivel de inteligencia) y se busca que a cada grupo le toquen sujetos más o menos semejantes en cuanto a ese asunto considerado.

Ahora bien, aunque se controlen varios factores, siempre cabe la posibilidad de que existan otros que el investigador no está controlando y que efectivamente afectan la relación que está pretendiendo medir para probar su hipótesis. En nuestro ejemplo del "nivel de charla y el crecimiento de las plantas", ¿podría resultar relevante controlar la distancia desde la que se les habla? ¿no será posible que si se les habla demasiado cerca, "los vapores del aliento" constituyan un factor que beneficia en algún modo el proceso natural del crecimiento de la planta? ¿qué otros factores podrían estar influyendo y el investigador no los conoce?

Y, si en vez de estudiar el efecto del habla en el crecimiento de las plantas, se estudia *el efecto de un método de enseñanza en el aprendizaje*; ¿cuántos aspectos habría que controlar para garantizar que el progreso o fracaso de los estudiantes se deba sólo al método y no a otros factores?: el horario en que se enseña, el contexto institucional en el que se aplica el método, la inteligencia promedio de los estudiantes, los conocimientos previos en la materia, el clima educativo familiar, la simpatía o antipatía del docente que enseña…

Por eso lo que se busca es implementar procedimientos que permitan o bien controlar esos factores (eligiendo por ejemplo, docentes con igual simpatía de modo de mantenerlos constantes en ambas situaciones, grupos con igual promedio en sus coeficientes intelectuales, etc.) o bien intentar que se distribuyan con igual probabilidad en los diversos grupos.

Ahora bien, cuanto más se controlen los potenciales factores contaminadores o extraños, las condiciones de la situación estudiada resultan cada vez más artificiosas. De modo que cuánto más controladas y excepcionales resulten esas condiciones, más difícil resulta también extrapolar los resultados de esas experiencias a los contextos habituales en que se presenta el fenómeno investigado.

Supongamos, por ejemplo, que deseamos evaluar si la *"administración de una determinada droga disminuye el nivel de colesterol en sangre"*. Para ello debemos controlar un sinnúmero de factores que podrían también provocar esa disminución (desde alimenticios hasta anímicos), de modo que si deseamos comparar dos grupos de sujetos –uno al que no se le administra la droga, y otro al que sí se la administra- tendremos que garantizar que ambos grupos se alimenten de manera más o menos semejante durante el período del experimento y que estén o no expuestos a determinadas situaciones estresantes, etc. Ahora bien, si concluimos que el grupo de sujetos que recibió la droga presentó una disminución en sus niveles de colesterol, debemos decir también que eso ocurrió bajo ciertas condiciones fijadas en ese experimento (el tipo de alimentación que recibieron, las condiciones de su vida en ese período, etc.) de modo que no sabremos si el mismo efecto se constata bajo otras condiciones alimenticias, otras condiciones vitales, etc.

### Validez interna y validez externa: dos nociones en contradicción

Se denomina **validez interna** del diseño al grado en que pueda garantizarse que el comportamiento o los cambios registrados en la variable dependiente se deben sólo a la variable independiente (y a ningún otro factor). De modo tal que cuanto mayor sea el control del diseño, mayor será su *validez interna*.

La **validez externa,** en cambio, se refiere al grado de representatividad de la experiencia: cuánto mayor sea la posibilidad de generalización de los resultados del experimento a otras situaciones o contextos, mayor será su validez externa.

Generalmente la mejora o el aumento de la *validez interna* atenta contra la *validez externa* —es decir, condiciones más restringidas o controladas implican menor capacidad de generalización de los resultados.

### Distintos tipos de diseños experimentales

Como lo señalamos al inicio del capítulo, los diseños experimentales pueden distinguirse entre sí según:

el "número de mediciones que se hagan en el tiempo",

el "número de unidades de análisis o grupos" considerados y

el "número de variables que se incluyan en la experiencia".

El método experimental se basa en la comparación. En este caso, la comparación se establece entre una situación definida como *patrón o control* y otra situación definida como *experimental*: el control es la situación de referencia sin el tratamiento experimental, mientras que la experimental es precisamente la que resulta de esta aplicación.

Las situaciones control y experimental refieren siempre a *entidades o unidades de análisis.* De allí que, cuando se trabaja con sujetos, se hable por ejemplo de "grupo control" y de "grupo experimental". Pero valdría también el mismo criterio si lo que se está investigando son "sustancias químicas" o "sistemas mecánicos". Más correcto –por ser más general- es hablar de *muestra control y muestra experimental.* Una muestra no es otra cosa que un conjunto de unidades de análisis.

## EL GRUPO CONTROL Y LA BIOESTADÍSTICA

Tradicionalmente en medicina, el grupo control se refiere a estudiar un grupo de pacientes que recibe un determinado tratamiento o consume alguna droga nueva en comparación con otro grupo de pacientes, quienes también participan del mismo estudio pero no reciben el tratamiento o la medicación. Esta modalidad de investigación suele realizarse para medir la efectividad de un tratamiento, sus efectos adversos y los parámetros que modificarían estos efectos. Es importante que el grupo de estudio esté razonablemente balanceado por edad y sexo (a

menos que se trate de un tratamiento que nunca será utilizado en un sexo o grupo etáreo particular). Estas instancias suelen ser presentadas para su edición en publicaciones académicas o utilizadas por la industria farmacéutica, por ejemplo, para solicitar una licencia para la droga estudiada.

> **Medicamento placebo**. *Es un sustituto de la medicación que es probada en el grupo control y que es suministrada al grupo que no recibe la medicación de prueba.*

En lo que respecta al número, lo habitual es trabajar con varias muestras; pero existen también diseños experimentales en los que se trabaja sobre la misma muestra y, aún más, sobre el mismo y único caso o unidad de análisis.

De acuerdo con esto, se pueden distinguir tres situaciones:

diseños intergrupos: se comparan varios grupos entre sí.

diseños intragrupos: se compara el mismo grupo consigo mismo.

diseños de caso único: se compara el mismo caso consigo mismo.

En los diseños "intergrupos", por lo menos uno de los grupos se considerará control y otro experimental. Aunque en algunas ocasiones pueden tenerse varios grupos experimentales. Como en el ejemplo de nuestras plantas: podíamos trabajar con uno o varios grupos experimentales, dependiendo si sólo asignábamos dos valores a la variable dependiente:

habla /no habla.

O varios valores:

habla mucho/ habla poco/ habla nada.

Habrá que considerar tantas muestras experimentales como valores estén previstos en la o las variable/s independientes. En lo que respecta a los diseños intra-grupo y de caso único, el control es el mismo grupo o el mismo caso.

Este asunto nos remite a la otra dimensión que tomamos en cuenta para la clasificación de los diseños experimentales: el número de mediciones en el tiempo.

En principio, en casi todos los casos de diseño experimental puro se tienen por lo menos dos mediciones en el tiempo: una antes y otra después de la administración o el tratamiento experimental. Sin embargo, en algunos casos, no se incluye la medida pre-tratamiento o se combinan situaciones con medida pre-tratamiento y medida post-tratamiento (esto permite determinar por ejemplo, si hay efectos en la variable dependiente que puedan atribuirse a la medición pre-tratamiento).

En los diseños de caso único o intragrupo, la medición también se hace antes y después del tratamiento pero en ese caso esa medición se realiza sobre el mismo grupo o sujeto.

En algunas ocasiones, se deben considerar varias mediciones en el tiempo, ya sea porque se introducen nuevos tratamientos (es decir, nuevos "valores de la variable experimental"), ya sea porque interesa averiguar si en el fenómeno que se desea medir (la variable dependiente) evoluciona de manera relevante a lo largo del tiempo.

Por ejemplo, podría ocurrir que el "*efecto de una droga sobre un organismo*" no se perciba en lo inmediato sino luego de un cierto período, o que "*el efecto de un método de enseñanza en la mejora de los procesos de aprendizaje*" resulte significativo en el corto plazo pero nada significativo en el mediano o largo plazo.

De modo que podrían tomarse varias mediciones pre-tratamiento y varias mediciones post-tratamiento.

Finalmente, en lo que respecta al número de variables, en el diseño experimental se requiere como mínimo la referencia a dos variables (la independiente y la dependiente) y, por supuesto, el control de las variables contaminadoras.

Sin embargo, existen situaciones en las que se pueden incluir más de una variable independiente y más de una variable dependiente. Eso dependerá de la manera en que hayan sido planteadas las hipótesis.

Supongamos, por ejemplo, una hipótesis que se propone evaluar:

*Cómo influye la frecuencia de uso de una palabra y su extensión en el tiempo de memorización de la misma.*

Se tienen en este caso dos variables: «*frecuencia de uso*» y «*extensión de la palabra*» como variables independientes.

Según sean los valores (o niveles) previstos para cada una serán los grupos necesarios para implementar esta experiencia.

Si se prevén dos valores o niveles para cada una:

*"alta frecuencia de uso" / "baja frecuencia de uso"*

y *"palabras extensas / palabras cortas"*

deberán entonces formarse cuatro grupos experimentales:

grupo en el que se presentan palabras de alta frecuencia y extensas.

grupo en el que se presentan palabras de baja frecuencia y cortas.

grupo en el que se presentan palabras de alta frecuencia y cortas.

grupo en el que se presentan palabras de baja frecuencia y extensas.

En síntesis, en lo que respecta a los tipos de diseños experimentales, según el número de variables, se tiene:

- **univariado-univariado: se emplea una variable independiente y una dependiente.**
- **multivariado-univariado: se emplea más de una variable independiente y sólo una variable dependiente.**
- **univariado-multivariado: se emplea una variable independiente y más de una variable dependiente.**
- **multivariado-multivariado: se emplea más de una variable independiente y más de una variable dependiente.**

## Límites y alcances del diseño experimental

Aunque la investigación experimental tiene ganada cierta reputación por la rigurosidad de su método y por la relativa certeza que brindan sus resultados, lo cierto es que la ciencia no se reduce a este único método.

Por una parte, porque hay un sinnúmero de fenómenos que no pueden ser abordados por medios experimentales. Así, por ejemplo, un astrónomo no podría seleccionar distintas galaxias para hacerlas chocar y evaluar luego qué efecto tiene ese choque. En todo caso, si tiene la suerte de hallar un fenómeno de esa magnitud (como le ocurrió a los investigadores que seguían las imágenes que enviaba el telescopio espacial *Spitzer*) sólo podrá examinar y describir a partir del hecho consumado los efectos que se producen, al menos aquellos efectos que esté en condiciones de captar, medir, reconocer.

De igual modo, otros hechos más próximos pueden resultar igualmente inabordables por medios experimentales. Ya sea por cuestiones éticas (no sería para nada aceptable una investigación que seleccionara distintas familias para someter a alguna de ellas a *violencia familiar* y averiguar luego qué les ocurre a lo largo de sus vidas), ya sea por accesibilidad en el tiempo (no se puede experimentar con hechos pasados, por ejemplo) o porque no existe ninguna posibilidad de asignar a las unidades a distintos grupos, ni manipular sus niveles de tratamiento. Si se quiere probar *"que el nivel educativo de las personas determina el número de hijos que llegan a tener al final de su vida fértil"*, parecería que no resulta posible manipular esas condiciones. No será el equipo de investigación el que decida a qué sujetos le asignará o le indicará que estudien hasta cierto nivel de enseñanza y a qué sujetos hasta cierto otro nivel de enseñanza, para luego evaluar cómo se comportan en términos de su tasa reproductiva.

Pero además de estas cuestiones materiales, que ponen límite a la investigación experimental, interesa advertir que la utilización de métodos experimentales no garantiza por sí mismo riqueza ni profundidad de un trabajo investigativo. Pueden investigarse asuntos absolutamente triviales o asuntos absolutamente relevantes aplicando estrategias experimentales. Eso no depende de la técnica empleada, sino de la riqueza de las hipótesis formuladas.

Por otro lado, la investigación experimental debe complementarse con otras estrategias que contribuyan a descubrir nuevas ideas, sin las cuales no podrían llevarse adelante estudios experimentales. El método experimental puede utilizarse, por ejemplo, para probar la eficacia de un cierto tratamiento terapéutico, por ejemplo, para combatir la *anorexia nerviosa*. Pero para desarrollar esa terapéutica se necesita antes una idea de cómo se comporta esa patología, cuáles se cree que son los factores que influyen en su desarrollo, etc. Todo lo cual remite a otras estrategias o diseños de investigación.

## LA INVESTIGACIÓN INTERPRETATIVA

En este tipo de investigaciones no se apunta a la mera descripción de los hechos, ni a su explicación causal, sino a la *interpretación o comprensión* de los fenómenos. Para analizarlas, consideraremos dos grandes grupos.

Por una parte, lo que se ha dado en llamar en las ciencias sociales **investigación cualitativa** y, por otra, la referencia a tradiciones más dispersas pero igualmente relevantes, que ubicaremos bajo el rótulo de **investigación de fenómenos culturales**.

## La investigación cualitativa

Se llama *investigación cualitativa* a un tipo de estrategia investigativa desarrollada en el área de las ciencias sociales y humanas (como la antropología, la etnografía, la psicología social, entre otras) que se nutre de orientaciones filosóficas interesadas en la comprensión de los fenómenos históricos, humanos y subjetivos.

Este tipo de investigación se caracteriza por la manera en que produce sus datos y por los propósitos que persigue con el tratamiento de los mismos.

Entre esas características se cuentan:

la comprensión de los fenómenos (más que la mera descripción o explicación),

la implicación de los investigadores en la producción de sus datos.

la observación en contextos naturales,

la producción de datos ricos, profundos, dependientes del contexto.

### LA COMPRENSIÓN DE LOS FENÓMENOS

El término "comprender" implica algo más que meramente conocer. Comprendemos algo cuando estamos en condiciones de adoptar la perspectiva del otro.

Así por ejemplo, si se dice a un amigo o amiga: *"Te comprendo, comprendo tus sentimientos"*, se quiere expresar no sólo que uno está informado de lo que le pasa al otro, sino que puede hasta cierto punto entenderlo desde el lugar en el que el otro vive esos sentimientos.

Análogamente, en este tipo de investigaciones se trata no sólo de acumular datos sino de hacerlo procurando integrar la perspectiva de los sujetos o los fenómenos involucrados en la situación estudiada.

Según el diccionario de la lengua española, comprender significa *"abrazar, ceñir, rodear por todas partes algo"*. Esta acepción resulta igualmente apropiada para describir este tipo de investigaciones, ya que se propone capturar el asunto en su máxima riqueza, atendiendo a la mayor parte de aspectos que puedan ser relevantes, aún cuando no siempre resulte sencillo precisarlos.

### LA OBSERVACIÓN O EL RELEVAMIENTO DE LOS DATOS EN SUS CONTEXTOS NATURALES

Un rasgo de este tipo de investigaciones es que procura ser lo menos intrusiva y lo menos distorsiva de las situaciones estudiadas. Eso quiere decir que los investigadores tratan de no alterar las situaciones habituales de los fenómenos estudiados.

Por "contexto natural" se debe entender la situación en que se presentan habitualmente los hechos a estudiar. Las características del "contexto" cambian según sean los asuntos investigados: si se trata de una investigación destinada a estudiar *"las modalidades en la comunicación en el aula entre estudiantes secundarios"*, el contexto natural será *el aula*. En cambio si la investigación se propone estudiar *"las modalidades en la comunicación entre varones y mujeres en un boliche bailable"* el contexto natural será *el boliche*.

### LA IMPLICACIÓN DE LOS INVESTIGADORES EN LA PRODUCCIÓN DE SUS DATOS

Implicarse es "conocer desde dentro" el fenómeno que se estudia. Por ejemplo, si se realiza una investigación para conocer *la organización social y los valores asociados a las distintas jerarquías y funciones entre los detenidos en un presidio,* no es lo mismo averiguarlo yendo de visita de vez en cuando que ser alguien que conoce esas cuestiones porque está dentro de la cárcel conviviendo con los presos.

En algunas ocasiones los investigadores se han hecho encarcelar o se han hecho pasar por vagabundos o pordioseros, para investigar el mundo del presidio o el mundo de la vida en la calle, "desde dentro". De igual modo, en una variante de este tipo de *investigación cualitativa* llamada **investigación acción,** los investigadores son al mismo tiempo participantes implicados en el asunto que investigan. Por ejemplo, un docente que se propone averiguar *"cómo mejorar las condiciones de comunicación docente-alumnos/as",* además de ser «investigador» es «objeto investigado». Al mismo tiempo, debe involucrar a los alumnos como parte de la reflexión y de la toma de decisiones en el proceso de construcción, delimitación y evaluación del problema de investigación.

### LA PRODUCCIÓN DE DATOS ES RICA, PROFUNDA Y DEPENDIENTE DEL CONTEXTO

Los datos que se producen en este tipo de investigaciones suelen ser sumamente ricos, en cuanto a la profundidad y perspectivas consideradas. Como se busca captar todas las dimensiones del asunto, se intenta abordar el mismo tema desde múltiples enfoques, no desde un solo actor o una sola dimensión, ni en un solo momento. Por ejemplo, en la investigación sobre el presidio podría ser de interés conocer los pareceres de los distintos presos, según sean o no jefes de bandas, o según sea la antigüedad que llevan en el presidio; podría incluirse también la mirada de los guardiacárceles, o la de los jefes policiales, la de familiares de presos, etc. Podría también resultar de interés averiguar también cómo entienden las reglas de la cárcel, qué reglas alternativas crean, qué alianzas se tejen entre ellos, cómo se vive la liberación de un compañero, qué se entiende por lealtad y qué por traición, etc.

En este tipo de investigaciones no siempre puede preverse anticipadamente qué aspectos serán los más relevantes, ya que el trabajo en el campo (es decir, en el lugar en que se encuentra el asunto a estudiar) puede ir abriendo o sugiriendo nuevas líneas de desarrollo no previstas al inicio.

Dado que los datos en profundidad terminan muy vinculados a un contexto específico, en la mayoría de los casos los resultados no son exportables a otros contextos.

Por ejemplo, si se estudia la vida en una cárcel de alta seguridad en una isla pérdida en algún océano; ¿qué garantías se tiene de que lo que se encuentre en ella será semejante a lo que ocurre en una cárcel de presos comunes en la ciudad, o incluso, en otra cárcel de alta de seguridad pero ubicada al otro lado del mundo?

## La investigación de objetos y fenómenos culturales

Incluimos en este grupo a una enorme variedad de investigaciones cuyos objetivos, al igual que en la *investigación cualitativa,* están orientados a la comprensión o interpretación del asunto investigado.

Pero a diferencia de la investigación llamada cualitativa, en este caso no necesariamente se trata de estudiar a sujetos humanos en sus contextos vitales, sino que se incluyen también —y especialmente- diversas producciones culturales, que pueden ir desde el estudio y la investigación artísticas (el cine, la pintura, el teatro o la música), hasta el análisis de mitos, publicidades, discursos, narraciones populares o religiosas.

Este tipo de investigación es frecuente en ciencias o disciplinas como la antropología, la etnografía, la lingüística, la semiótica, la psicología, la psicología social, la investigación de arte e incluso la sociología. En todos los casos se trata precisamente de *interpretar* los sentidos de producciones culturales o psicológicas de muy diverso tipo.

**Una aldea con secretos**. *Durante su estadía en las islas Trobiand, el antropólogo Malinowski quedó involucrado en peleas familiares de los habitantes del lugar.*

## UN INVESTIGADOR INVOLUCRADO

Mientras estuve en las Trobiand dedicado de lleno al estudio sobre el terreno de los nativos de allí, siempre viví con ellos, planté mi tienda de campaña en su poblado y de esta manera estuve siempre presente en todo lo que ocurría, ya fuese trivial o importante, monótono o dramático. El suceso que ahora voy a relatar ocurrió durante mi primera visita a las islas Trobiand. Un día, un súbito coro de gemidos y una gran conmoción me hicieron comprender que había ocurrido una muerte en algún lugar de la vecindad. Me informaron que Kimaî, un muchacho conocido mío, que debería tener unos dieciséis años, se había caído de un cocotero y había muerto. Inmediatamente me trasladé al poblado más próximo, que es donde había ocurrido el accidente, y allí me encontré con los actos mortuorios, que estaban en pleno desarrollo. Como éste era el primer caso de muerte, duelo y entierro que yo presenciaba, en mi interés por los aspectos etnológicos del ceremonial me olvidé de las circunstancias de la tragedia, a pesar de que en el poblado ocurrieron simultáneamente uno o dos hechos singulares que deberían haber despertado mis sospechas. Descubrí que, por una coincidencia misteriosa, otro muchacho había resultado herido de gravedad, al mismo tiempo que en el funeral se percibía claramente un sentimiento general de hostilidad entre el poblado donde el muchacho había muerto y aquel donde se había trasladado el cadáver. Sólo mucho más tarde pude descubrir el verdadero significado de estos acontecimientos: el muchacho se había suicidado.
Malinowski, B., *Crimen y costumbre en la sociedad salvaje*, Barcelona, Ariel, 1971.

Algunos de los rasgos de este tipo de investigaciones serían los siguientes:

Su fin principal es *interpretativo*, de modo que se aborda el objeto a estudiar como un mensaje o código a descifrar.

Por lo general, la interpretación se hace por referencia al contexto histórico o institucional de ese objeto cultural, o vinculado a la producción de ese objeto.

El investigador no necesariamente participa en el contexto de producción del material interpretado.

Dentro de este tipo de investigaciones encontramos asuntos tan variados como el análisis de películas, cuentos, novelas, historia escrita, publicidad, relatos de pacientes en psicoterapia, obras musicales o plásticas, discursos políticos, científicos, etc.

Supongamos que queremos hacer una investigación destinada a averiguar:

*¿cuál es el valor privilegiado en la publicidad de bebidas alcohólicas y a qué destinatario se dirige?*

Para responder a esta pregunta lo que seguramente deberemos hacer es tomar una muestra de publicidades de bebidas alcohólicas y estudiar una serie de aspectos (o variables), para examinar en cada uno de ellos los sentidos implícitos. A diferencia de la mera descripción, nos interesa aquí tomar cada elemento y examinar su significación, por ejemplo, si encontramos que en la mayoría de los casos, la gente está feliz, alegre, bailando, etc., no nos interesará computar cuántos bailan y cuántos miran sino examinar el sentido del baile y la felicidad y su relación con el producto. En el capítulo dedicado al tratamiento de datos ampliaremos estas cuestiones.

## Los tipos de diseño en la investigación interpretativa

Dada la característica "holística" de este tipo de investigaciones, la búsqueda de significado y la interpretación situada, la mayoría de los diseños de este tipo, pueden dar lugar a combinaciones de los siguientes tipos:

• *multivariados o multidimensionales, muestras pequeñas, longitudinales =seguimiento o comparaciones a lo largo del tiempo.*

• *multivariados o multidimensionales, caso único, longitudinales =seguimiento o comparaciones a lo largo del tiempo.*

• *multivariados o multidimensionales, muestras pequeñas, transversales.*

Para algunos autores el término "variable" no se aplica a este tipo de estudios (y por lo tanto tampoco tendría sentido denominarlos estudios "multivariados") porque consideran que en la mayoría de los casos no se trabaja con variables que cumplan con todos los requisitos formales que caracterizan a una variable nítidamente delimitada.

Es conveniente en tal sentido hablar de *dimensión de análisis* aludiendo a los campos o asuntos de indagación. Atendiendo a esta cuestión, podemos definirlos como estudios "multidimensionales", ya que en todos los casos se atiende a varios aspectos o dimensiones de manera conjunta.

De igual modo, también en todos ellos se suele trabajar con pequeñas muestras o incluso con casos únicos (como ocurre por ejemplo en las llamadas *historia de vida*).

Ya sea que se trate de estudiar obras de arte, producciones discursivas, mitos de la antigüedad o presos en una cárcel; las unidades de análisis serán siempre reducidas en cantidad.

Finalmente, dada la naturaleza de estas investigaciones, resulta por lo general más frecuente que las observaciones o el relevamiento de la información se realicen a lo largo del tiempo, en varios momentos, que permitan luego al investigador/a comprender el proceso, sus transformaciones, etc. Eso no significa que queden descartadas de este grupo los diseños transversales. Una investigación que se propusiera conocer la *opinión de un conjunto de jóvenes sobre la política contemporánea* podría encuadrarse perfectamente en lo que aquí denominamos "investigaciones interpretativas", y sus relevamientos serán –desde el punto de vista de la temporalidad- transeccionales.

## LA INTEGRACIÓN DE DISEÑOS: MONEDA CORRIENTE EN LA INVESTIGACIÓN REAL

Una vez presentada la variedad de estrategias que pueden seguirse para llevar adelante un trabajo de investigación, es necesario señalar ahora que en una investigación real con mucha frecuencia se requiere la combinación de varias de ellas.

Sea para tratar distintas preguntas de la misma investigación (cada una de las cuales puede requerir de distintos diseños); sea porque durante el desarrollo de la investigación se van precisando las hipótesis y, por lo tanto, los modos de contratar o ampliar las hipótesis. Eso ocurre, por ejemplo, cuando se trata de **validar** un indicador o un instrumento de medición de algún tipo.

LOS TIPOS DE ESTUDIO O INVESTIGACIÓN SON: DESCRIPTIVOS, EXPLICATIVOS O INTERPRETATIVOS HERMENÉUTICOS.

LOS DISEÑOS CORRESPONDIENTES A CADA UNO RESULTAN DE LA COMBINACIÓN DE:

- EL NÚMERO DE VARIABLES,

- EL NÚMERO DE UNIDADES DE ANÁLISIS,

- EL NÚMERO DE MEDICIONES EN EL TIEMPO.

- Álvarez, M. C. y Lombardia sierra., V. C.: *Metodología de la investigación científica*, Kipus, Bolivia, 2001.cap IV V.

- León, G. O.: *Diseño de investigaciones*, Universidad Autónoma de Madrid, 1997.

- Pereda, Santiago: *Psicología experimental 1*. Metodología. Ed. Pirámide, Madrid, 1987.

- Samaja, Juan: *Proceso, diseño, proyecto*, Buenos Aires, JVE,

- Sautu, R.: *Todo es Teoría, objetivos y métodos de investigación*, Lumiere, Buenos Aires, 2003.

# Capítulo VII. La producción y el tratamiento de datos

*Un a investigación comienza a tomar cuerpo cuándo*
*podemos definir los instrumentos con los que trabajaremos.*

## Los mediadores para la acción: los instrumentos

Un instrumento es una herramienta que nos permite concretar una acción que hemos planificado previamente. En algunas ocasiones la acción se planifica de acuerdo al instrumento con que se cuenta (es distinto lo que se puede hacer con un trozo de madera si se dispone de un martillo, de una sierra o de un cincel). En otras ocasiones, tenemos la posibilidad de planificar lo que deseamos hacer y disponer luego de la herramienta que necesitamos emplear con ese objetivo.

De una manera más precisa, el "Instrumento" es el dispositivo material que se usa para aplicar o administrar los indicadores seleccionados en instancias anteriores de la investigación. Así, por ejemplo, si se ha decidido que para *medir la temperatura ambiente* resulta adecuado (por su *sensibilidad y costo*) utilizar las variaciones en la "dilatación del mercurio", resulta necesario averiguar cómo va a implementarse ese indicador, de modo tal que el dispositivo en el que se coloque el mercurio no altere la temperatura del ambiente y permita la lectura de esas variaciones.

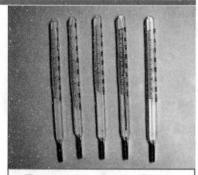

***Temperatura exacta****. Distintos modelos de termómetros para un solo objetivo: medir con precisión.*

## HISTORIA DEL TERMÓMETRO

En 1717 Fahrenheit, un fabricante de instrumentos técnicos, construyó e introdujo el termómetro de mercurio con bulbo (usado todavía hoy) y tomó como puntos fijos:

• el de congelación de una disolución saturada de sal común en agua, que es la temperatura más baja que se podía obtener en un laboratorio, mezclando hielo o nieve y sal.

• y la temperatura del cuerpo humano.

Dividió la distancia que recorría el mercurio en el capilar entre estos dos estados en 96 partes iguales.

Con este termómetro de precisión Farenheit consiguió medir la variación de la temperatura de ebullición del agua con la presión del aire ambiente y comprobó que todos los líquidos tiene un punto de ebullición que le es propio. En 1967 se adoptó la temperatura del punto triple del agua como único punto fijo para la definición de la escala absoluta de temperaturas y se conservó la separación centígrada de la escala Celsius. El nivel cero queda a -273,15 K del punto triple y se define como cero absoluto o 0 K. En esta escala no existen temperaturas negativas. Esta escala sustituye a la escala centígrada o Celsius.

Dado que lo que interesa es la **medición** de los asuntos que quieren estudiarse, el Instrumento está siempre vinculado a los indicadores. Aunque existen algunos instrumentos que pueden ser usados por muy distintas disciplinas y para muy distintos fines, otros en cambio, son específicos de ciertas prácticas o se usan para fines muy acotados. Por ejemplo, un *espectrofotómetro* es un instrumento usado en la física óptica para cuantificar e identificar sustancias. El *espectrofotómetro* proyecta un haz de luz monocromática (de una longitud de onda particular) a través de una muestra y mide la cantidad de luz que es absorbida por dicha muestra. Como cada sustancia tiene propiedades espectrales únicas, las sustancias analizadas producirán distintos espectrogramas.

En las ciencias sociales y humanas existen también instrumentos específicos y otros de alcance muy general, cuyo contenido es definido por el fin para el que se los usa. Entre estos últimos se cuentan:

a) **El Registro de observación simple.**

b) **Cuestionario mediante Encuesta.**

c) **Guía de Entrevista.**

d) **Test o pruebas de evaluación estandarizadas.**

## El registro de observaciones

Observar es captar un fenómeno por medio de la vista y es una acción que puede realizarse con o sin ayuda de aparatos técnicos específicos.

Para que la observación se constituya en una técnica y en un instrumental científico, se requiere que esté orientada por un objetivo de investigación, que se planifique con algún grado de sistematización, (de modo tal que otros puedan "replicar" o reproducir los procedimientos implementados) y que permita comprender y/o reconstruir los pasos seguidos para el logro de los resultados obtenidos.

Aunque en todas las disciplinas la presencia del observador introduce alteraciones en el comportamiento del fenómeno observado, en la investigación social resulta más difícil evitar que el observador interfiera en la realidad que pretende registrar.

Es por eso que en la investigación social se ha distinguido dos tipos de técnicas de observación: la **observación no participante,** cuando el rol del observador es distante, y no interviene en la situación u objeto observado; y la **observación participante,** cuando el observador interactúa o participa en ella.

En determinadas circunstancias, la presencia del observador puede mimetizarse con el contexto social investigado sin alterarlo de manera significativa. Por ejemplo, si un grupo de investigadores se propone averiguar *¿cómo es el contacto corporal en los encuentros sociales entre personas de distinto status social* (quién da la mano a quién, quién palmea la espalda a quién, quien apoya la mano sobre el hombro de quién, etc.)*?*, puede realizar sus observaciones en lugares públicos, como plazas, comercios, medios de transportes, etc., sin que las personas se den cuenta de que están siendo observadas.

*Mirada invisible*. *La cámara Gesell permite seguir conductas sin que se perciba la presencia del observador.*

## UNA OBSERVACION A DISTANCIA

El dispositivo de la Cámara Gesell (CG) fue creado por el estadounidense Arnold Gesell (1880-1961), quien fue un psicólogo que se dedicó a estudiar las etapas del desarrollo de los niños. Básicamente, consiste en dos habitaciones con una pared divisoria en la que hay un vidrio de gran tamaño que permite ver desde una de las habitaciones lo que ocurre en la otra –donde se realiza la entrevista-, pero no al revés. Gesell la creó para observar las conductas de los chicos sin que éstos se sintieran afectados por la mirada de un observador.

Por su parte, el acto por el cual un experto escucha el relato de un niño damnificado, si bien debe ser llevado a cabo observando ciertas previsiones instituidas para evitar su ulterior repetición y a su vez garantizar el derecho de defensa en juicio, no guarda las características propias de una declaración testimonial ni reviste las formalidades de ese medio probatorio en particular, pues tan sólo constituye una entrevista que además debe llevarse a cabo en un ámbito especialmente acondicionado a ese efecto y no en un despacho del órgano instructor, ni mucho menos en la sala de audiencias de un tribunal oral. De todos modos, tanto las partes como la propia autoridad judicial que dispone la medida (fiscalía o tribunal), exclusivamente se encuentran habilitados a seguir sus alternativas desde otro sitio, a través de elementos técnicos destinados al efecto, pudiendo intervenir durante su desarrollo sólo en forma indirecta y a través del psicólogo actuante, quien habrá de canalizar sus inquietudes del modo que considere prudente para garantizar la integridad psíquica del menor.

Sobre el uso de la cámara Gesell en casos de abusos de menores.

En cambio, si un psicólogo desea estudiar los intercambios comunicacionales entre una madre y su bebé en el contexto del hogar, no puede introducirse en ese hogar de manera subrepticia o utilizando una cámara oculta (lo cual sería inadmisible desde el punto de vista ético). Debe presentarse, pedir autorización a esa madre, ir creando un clima de aceptación y haciendo que su presencia se haga habitual para la madre y para el bebé.

Las dos observaciones, sin embargo, –la del contacto social y la del intercambio madre-bebé-, podrán definirse como ***observaciones no participantes***, ya que el observador no se propone interactuar con los sujetos observados.

Si, en cambio, el observador se introduce en la situación, interviene, participa en el hecho social que quiere observar, se tratará de una ***observación participante.*** En un caso podría él o ella ser el sujeto que "establece algún encuentro social con otros sujetos de mayor o menos *status* social" y explorar cuáles serán las reacciones de acuerdo al contacto corporal que se permita (por ejemplo, palmearle la espalda a alguien que es ostensiblemente de mayor nivel o jerarquía social); en el otro caso, podría ser el investigador/a quien interactúe con el bebé o con la madre y el bebé, a los efectos de evaluar cómo es la reacción de ambos cuando se incluye una tercera persona en la relación.

En cualquiera de las situaciones (*participante o no participante*), la observación nunca es neutra, sino que está orientada por los marcos teóricos del investigador, por sus presupuestos, sus búsquedas, los interrogantes que lo motivan, etc.

Finalmente, cualquiera sea el tipo de observación, será necesario **registrar** aquello que se observa (durante o  inmediatamente después de realizada la observación). Suele llamarse "cuaderno de campo" al cuaderno o planilla en los que se registran las apreciaciones  relevadas. En algunas ocasiones, si los investigadores tienen ya pautado qué tipo de asuntos les interesa observar, pueden utilizar grillas en las que se prevea el registro de cada uno de esos asuntos.

## El cuestionario estructurado

A diferencia de la observación, el cuestionario, al constar de preguntas dirigidas a determinadas personas, es un instrumento usado fundamentalmente en el campo de la investigación social.

La **planilla o cuestionario para encuesta** se aplica a una población dada (generalmente a una *muestra poblacional*) y consiste en ciertos estímulos verbales que dependen de las condiciones en que va a desarrollarse el relevamiento  y en ciertas situaciones establecidas previamente por el Equipo de Investigación.

Entre esas condiciones previamente pautadas puede determinarse:

- *quién o quiénes* serán admitidos como respondentes (por ejemplo, en el caso de encuestas a hogares: el jefe de hogar, cualquier miembro presente, etc.),
- *dónde* se relevarán los datos (en la calle, en el hogar, en el trabajo, etc.),
- *cuándo* se realizará el relevamiento (el día de la semana, el horario, etc.).
- *qué* se relevará, es decir, el conjunto de ítems o contenidos del instrumento (los que serán derivados de las variables e indicadores).

El respondente de la encuesta puede o no coincidir con la *unidad de análisis* de la investigación: por ejemplo en las encuestas a hogares el respondente puede ser cualquier miembro que informa sobre la familia, siendo precisamente "la familia" la principal unidad de análisis.

En algunas ocasiones, el cuestionario es completado de manera directa por las personas encuestadas (se lo define entonces como *autoadministrado*); mientras que en otros las preguntas y su registro en la planilla quedan a cargo de personal entrenado del equipo de investigación.

Una encuesta contiene muchos indicadores y puede combinar distintos procedimientos como la observación, la interrogación, la consulta a registros, etc.

Así, por ejemplo, una investigación destinada a describir los *estilos de crianza de padres de hijos adolescentes* podría tener como unidades de análisis a la  "familia", "padres", "hijos", etc.

Supongamos que se quieren conocer ciertos rasgos de la familia como:

(a) *"Clima educativo familiar"*.

La definición operacional de esta variable (el indicador) podría expresarse como:

*"Cantidad de años de escolarización del total de miembros adultos del hogar"*

y se valdría del siguiente procedimiento:

*"Preguntar a cada miembro adulto del hogar el total de años de escolarización alcanzados para luego agregarlos o sumarlos"*.

El cuestionario de la Encuesta podría ser del siguiente tipo:

*1. ¿Me puede decir cuántas son las personas en este hogar mayores de 21 años?*

...................................................................................

*2. ¿Me puede decir el nombre de cada una de ellas y el último año de escolarización alcanzado?*

(Instrucciones para el Encuestador: llene los casilleros de nivel educativo y calcule luego el total de años de escolarización sumando 7 del Nivel Primario; 5 del Nivel Secundario, 5 del Nivel Universitario y 4 del Nivel Postuniversitario. Si la persona contesta Primaria Incompleta pregunte hasta qué grado concurrió. Para los restantes casos compute sólo el nivel completado)

| Nombre [para el encuestador/a] | Máximo nivel alcanzado | Años de escolarización |
|---|---|---|
| 1. ...................... | .............................. | .............................. |
| 2. ...................... | .............................. | .............................. |
| 3. ...................... | .............................. | .............................. |
| 4. ...................... | .............................. | .............................. |
| 5. ...................... | .............................. | .............................. |
| 6. ...................... | .............................. | .............................. |
| 7. ...................... | .............................. | .............................. |

Total ...........................

[completa encuestador/a]

En este ejemplo, se agrega a la pregunta que explícitamente se formula al encuestado/a un apartado de Instrucciones para orientar la tarea del Encuestador/a. A veces estas instrucciones se adicionan en cuadernillos separados al cuestionario, a los que se llama "Instructivos".

Otra variable de esta misma investigación podría haber sido la siguiente:

*"Modalidades de los padres de adolescentes en el control de la salidas nocturnas de los hijos".*

Se podría presentar en el cuestionario bajo la siguiente forma:

Pregunta dirigida al padre/madre o responsable a cargo del adolescente:

*Autoriza a salir a su hijo/a adolescente solo de noche:*

*[indicar sólo una opción]*

Nunca                                          a. ☐

Sólo muy de vez en cuando                       b. ☐

Con alguna frecuencia                    c. ☐

Siempre (de manera libre)               d. ☐

Ns/Nc                                    e. ☐

*¿Le fija usted un horario límite para el regreso de las salidas nocturnas a su hijo?*
[Se pregunta a todos con excepción de aquellos que eligieron la opción "Nunca"]

a *SI* ☐      b *NO* ☐    c NS/NC ☐

*¿Podría expresarnos brevemente qué razones tiene para ello?*
[Se pregunta a todos con excepción de los que respondieron la opción "c" del ítem anterior]
..................................................................................................................
..................................................................................................................
..................................................................................................................

Como puede verse, las primeras preguntas tienen una respuesta prefijada a la que debe atenerse el respondente. Por ese motivo, se las llama *"preguntas cerradas"*. También se las denomina *precodificadas*, cuando se ha asignado un código a cada uno de los valores (en uno de los ejemplos, los códigos serían "a", si contestó "Nunca" [autoriza salidas nocturnas), "b" si contestó "Sólo muy de vez en cuando"; y así sucesivamente. También se incluye la opción "No sabe/No contesta" (Ns/Nc) porque el encuestado/a puede no querer contestar o pueden presentarse circunstancias que impiden hacer la pregunta, etc.

La última es una *"Pregunta abierta"* porque se responde en base a las propias palabras del respondente. A posteriori del relevamiento se realiza la codificación de las respuestas (a diferencia de las preguntas "cerradas" cuya codificación se realiza a *priori*).

En un cuestionario pueden combinarse preguntas "abiertas" y preguntas "cerradas" de muy diversas maneras.

Sin embargo, cuanto más extensa sea la muestra, resulta más costoso –y menos confiable- incluir muchas preguntas abiertas.

Finalmente, se deben fijar las consignas de presentación del encuestador/a y los fines de su trabajo.

Esto se hace tanto por una cuestión ética (ya que el encuestado/a tiene no sólo derecho a saber con qué fines se lo interroga, sino también la libertad de dar su consentimiento o negarlo); como para garantizar que todos los encuestadores/as se presenten a sí mismos y al trabajo de la manera más parecida posible.

A modo de ejemplo, la presentación y el encuadre para una Encuesta podría tener una forma como la siguiente:

*"Mucho gusto, mi nombre es .........; pertenezco a la institución X. Estamos realizando una investigación para conocer ..............................................., y quisiéramos hacerle algunas preguntas sobre ese tema, en caso que usted esté de acuerdo.*

*La información que usted nos brinde será confidencial (eso significa que no se difundirá bajo ningún concepto su nombre o cualquier otra seña que permita identificarlo) y será sólo usada para los fines de este trabajo.*

*El tiempo de duración de la encuesta se estima en .... minutos".*

**Ganar confianza**. *La tarea del encuestador implica que el encuestado se sienta protegido para responder sin riesgos ni temores.*

## FUNCIONES DEL ENCUESTADOR

Usted, como encuestador, es la persona que presentará la encuesta, explicando los objetivos y alcances de este relevamiento a los empresarios responsables de brindar los datos.

Deberá señalar en todos los casos el carácter confidencial y reservado que tendrá la información recogida. Su labor permitirá obtener datos de buena calidad, lo que redundará en mejores estimaciones sobre la realidad del sector minero.

Usted deberá:

Leer detenidamente este instructivo, a fin de conocer las instrucciones para el llenado de las distintas preguntas del cuestionario. Asegurarse de contar con todo el material necesario antes de la realización de sus visitas.

Diagramar el itinerario más adecuado de sus visitas, lo que le permitirá hacer más eficiente su trabajo.

Controlar el cuestionario cumplimentado.

Reiterar tantas veces como sean necesarias las entrevistas correspondientes a cuestionarios incompletos o en los que haya detectado errores.

Comunicar a su supervisor cualquier situación anómala.

Concurrir a las reuniones a las que será citado por su supervisor, a quien informará sobre el estado de las tareas.

Usted no podrá:

Divulgar o comentar la información proporcionada por los encuestados, pues ello infringe el secreto estadístico garantizado por la ley N° 17.622 y las leyes provinciales correspondientes.

Delegar sus funciones de Encuestador o concurrir a los establecimientos acompañado por personas extrañas.

*Formular preguntas ajenas a los temas del cuestionario o utilizar las entrevistas con fines que no sean estrictamente los de este Programa de encuestas a la minería.*

*Instrucciones para la encuesta de Minería del
Instituto Nacional de Estadísticas y Censo de la Argentina*

## La guía de entrevista

Cuando se trabaja con cuestionarios precodificados, los respondentes están sujetos a los códigos o categorías que ya están prediseñadas en ese instrumento, de modo que cuando responden tienen que adecuar o hacer coincidir sus respuestas con los valores previstos por los investigadores.

En la entrevista, en cambio, las preguntas tienen más bien un carácter orientativo, que sólo busca que el entrevistado despliegue sus distintos pareceres. El grado de rigidez con el que se aplique esa guía marcará el nivel de direccionamiento y estructuración de la entrevista.

En algunos casos los investigadores desean cumplir estrictamente con los pasos fijados en la entrevista de modo que si los entrevistados "se van por las ramas" puedan recuperar el hilo conductor del interrogatorio. En otros, en cambio, puede que estén interesados precisamente permitir que el entrevistado se explaye sin limitaciones. De modo que la entrevista puede resultar en contenidos no previstos por el investigador al comienzo de la misma.

Se ha dado la denominación de **entrevista dirigida, semi-dirigida o no dirigida** (también llamada **entrevista libre o abierta**) a las distintas modalidades, según su nivel de direccionamiento y/o estructuración.

A modo de síntesis, señalemos una vez más que si el cuestionario está organizado por un conjunto de ítems con la mayoría de sus preguntas cerradas o pre-codificadas, la guía de entrevistas es simplemente un listado de temas a tratar con los entrevistados (en los que eventualmente se pueden fijar las modalidades del estímulo motivador) todas ellas abiertas, y sujetas a un contexto de intercambio "cara a cara" entre entrevistador y entrevistado.

El personal entrenado para la toma de entrevistas debe ser especialmente receptivo y saber motivar la confianza con su entrevistado/a. En ese sentido, debe ser también capaz de captar información no verbal, como la actitud del entrevistado, el clima percibido en el encuentro, la motivación para responder o participar de la entrevista, el contexto y la situación en que se fijó y se tomó la entrevista, etc. Toda esta información debe ser incluida junto a los contenidos de la entrevista.

Dadas las características de la *entrevista*, se requiere mucho tiempo para la toma de cada una y por lo tanto, suele elegírsela como instrumento en estudios con muestras pequeñas o intensivas: pocos casos en los que se profundiza más (a diferencia de las encuestas en las que se pueden tomar muchos casos, pero profundizando menos).

## Test o pruebas estandarizadas

La palabra "estándar" (que proviene del inglés *estandar*) significa "modelo, norma o *patrón de referencia*". Las ciencias naturales y las ciencias sociales y humanas comparten la búsqueda de *patrones para la medición*. Sin embargo, en un campo y otro cambian los procedimientos para construir o determinar esos criterios.

Por ejemplo, el "*metro patrón*" se define actualmente como la longitud del trayecto recorrido en el vacío por la luz durante un tiempo de 1 / 299792458 segundo (a lo largo de la historia se fueron cambiando las maneras de definir a esa unidad de medida).

Existe además un metro patrón de platino e iridio, que fue realizado en base a cuidadosas mediciones y que desde 1889 se encuentra en la Oficina Internacional de Pesos y Medidas, en París (de modo que cualquier "metro" que anda por el mundo, es una réplica –o debiera ser una réplica- de ese metro patrón).

Fijado el patrón, cualquier distancia o longitud puede medirse en "unidades de metro patrón" (o sus fracciones. Esto es lo que se hace si uno desea, por ejemplo, averiguar cuánto mide su habitación o el frente de su casa.

Para determinar el *patrón* de otro tipo de fenómenos, como los que interesan a las ciencias humanas o sociales, los procedimientos que se siguen son algo distintos. Si uno desea saber cuál es el nivel de inteligencia de un sujeto, hay que establecer un criterio o patrón para poder medir ese nivel.

Con ese fin, se construyen escalas de "inteligencia" en base a una muestra de sujetos considerada representativa de una cierta población. Esa escala resulta de los resultados obtenidos por esa muestra de sujetos, quienes han realizado alguna *prueba* que mida precisamente la inteligencia. Los resultados permitirán ubicar a los sujetos según un ranking de valores: de 10% en 10% o de 25% en 25%.

Suele aceptarse que el grupo del 50% intermedio, representa los valores de *normalidad* ya que se ubican allí la mayoría de los casos con valores medios.

"Por arriba" de esos valores centrales se ubicarán los "superdotados" (o más inteligentes que la mayoría) y por debajo los "infradotados" (o menos inteligentes que la mayoría).

De modo tal que si luego aplicamos el instrumento a un solo sujeto, alcanzará con saber qué puntaje obtuvo en el test y controlar en nuestra tabla de referencia si ese puntaje lo ubica entre los sujetos con niveles medios, altos o bajos de inteligencia.

## FUENTE DE DATOS E INSTRUMENTO

Como lo hemos señalado, los Instrumentos son herramientas que se utilizan para medir o evaluar el asunto que interesa investigar.

Ahora bien, esa medición (y el uso del instrumento necesario para obtenerla) puede ser hecha por el mismo equipo de investigación o basarse en información producida por otros.

Si la información la produce el mismo equipo de investigación, se dirá que se trabaja con una "fuente de datos" primaria; de lo contrario se tratará de fuentes secundarias.

Hay tres tipos de fuentes:

*-Fuentes primarias:* **cuando las obtiene el mismo Equipo de Investigación, a través de relevamientos por encuestas, en observaciones en terreno, en diseños experimentales, etc.**

*-Fuentes secundarias directas*: **cuando se toman los registros producidos por otro investigador o Equipo de investigación o registros institucionales de diverso tipo.**

**Por ejemplo, documentales, registros de datos en bruto, datos del Registro Civil, etc.**

*-Fuentes secundarias indirectas*: cuando se toma la información recogida y procesada por otros –instituciones o investigadores-. Por ejemplo: memorias, ponencias de congresos, conclusiones y datos sistematizados en artículos científicos, etc.

Un mismo relevamiento puede utilizar distintas Fuentes de Datos: por ejemplo, un estudio sobre la población usuaria de Servicios de Salud, puede servirse de información de los registros clínicos (Fuente de Dato secundaria) y combinarse con información obtenida a través de Entrevistas personales (Fuente de Dato Primaria).

**Medir la población**. *El formulario tiene preestablecido los ítems sobre los cuales el encuestado responderá, también las respuestas categorizadas, por ej: sexo estado civil, etc.*

## ¿CUÁNTOS SOMOS?

En la Argentina la historia de los censos nacionales se remite en su origen al relevamiento de 1869 y continúa hasta la actualidad. Sin embargo, cada censo presenta características propias, producto de los contextos particulares en los que se desarrollaron.

La definición de aspectos a relevar responde, por un lado, a cuestiones técnicas y metodológicas, pero también a preocupaciones propias de un tiempo histórico, y de quienes tienen la capacidad de definir cuáles son los temas más relevantes que una sociedad debe conocer de sí misma. (extraído de artículo científico).

http://www.iigg.fsoc.uba.ar/Jovenes_investigadores/3JornadasJovenes/Templates/Eje%20%20instituciones/AGUILAR%20Y%20EPSTEIN%20Instituciones.pdf.

## EL TRATAMIENTO DE LOS DATOS

Cualquiera sea la estrategia y el instrumento utilizado, la investigación producirá algún tipo de información que requerirá ser sintetizada, organizada o procesada. Esa síntesis permitirá cotejar los *«resultados obtenidos»* a la luz de las hipótesis o de los problemas que motivaron el desarrollo de la investigación.

La naturaleza de los datos producidos por la investigación dependerá no sólo del asunto investigado, sino también del enfoque adoptado para su tratamiento y del tipo de material sobre el que se trabajó.

Si la investigación ha sido descriptiva, explicativa o interpretativa, los datos y su tratamiento serán también distintos.

Daremos a continuación algunas indicaciones sobre dos tipos posibles de *tratamiento de datos*: tratamiento de datos en investigaciones descriptivas con base en técnicas estadísticas, y tratamiento de datos en investigaciones interpretativas con algunas referencias a técnicas de análisis de contenido.

## Tratamiento de datos en investigaciones descriptivas

Consideraremos aquí aquellas descripciones que se basan en el uso de variables cuantitativas. Es decir, variables cuyos valores se expresan en alguna serie o escala numérica.

Pongamos por caso que se ha decidido hacer una evaluación del *rendimiento en velocidad (carrera de 100 metros) de una muestra de estudiantes, con el objeto de comparar los resultados que se obtienen en distintas escuelas de una cierta región geográfica.*

Desde el punto de vista del diseño, se tratará de una investigación *descriptiva* y el relevamiento de los datos se realizará mediante alguna prueba específica.

[Usaremos esta definición de prueba: "carrera en pista o pavimento compacto, adoptando en la salida una posición erguida similar a la conocida como "salida alta" en atletismo. Se realizará un único intento; permitiéndose un segundo intento sólo en caso de caída o de ser estorbado en su carrera por algún obstáculo imprevisto"].

La variable, el indicador y sus respectivos valores serían los siguientes:

| *Variable* | *Indicador* | *Valores del indicador* | *Valores de la variable* |
|---|---|---|---|
| Rendimiento en velocidad | Cantidad de tiempo (medido en segundos) en recorrer 100 metros. | De 0 a "n" segundos | Satisfactorio/ Insatisfactorio (o de 0 a 10 puntos) |

Aplicada la prueba a cada alumno de cada curso, se obtendrá información como la que se presenta en la siguiente "***matriz de datos***":

| Alumnos curso X (Unidad de Análisis) | Rendimiento en 100 metros expresado en segundos (indicador) |
|---|---|
| Alumno # 1 | 17 |
| Alumno # 2 | 18 |
| Alumno # 3 | 16 |
| Alumno # 4 | 19 |
| ........ | ...... |
| Alumno # n | ....... |

Lo que tendremos que decidir en primer término es a partir de qué valores obtenidos en la prueba adjudicaremos el valor "Aprobado" o "Desaprobado" a cada estudiante. O, si se prefiere, qué puntaje le corresponde si decidimos evaluarlos de "0 a 10".

Una manera de hacerlo es tomar un criterio o referencia patrón ya disponible. En ese caso, deberíamos disponer de una tabla "estandarizada" en la que se indique cuál es el rendimiento esperado, es decir cómo se distribuyen los más lentos, los de velocidad media y los más rápidos. Supongamos la siguiente tabla:

| Escala de medición del indicador | Equivalente |
|---|---|
| No realiza la prueba | 0 ptos. |
| Más de 24 segundos | 3 ptos. |
| Entre 23 a 24 segundos | 4 ptos. |
| Entre 21 a 22 segundos | 5 ptos. |
| Entre 19 a 20 segundos | 6 ptos. |
| Entre 17 a 18 segundos | 7 ptos. |
| Entre 15 a 16 segundos | 8 ptos. |
| Entre 13 a 14 segundos | 9 ptos. |
| Menos de 13 segundos | 10 ptos. |

A partir de esta tabla daríamos el puntaje a cada estudiante.

| Alumnos curso X (Unidad de Análisis) | Rendimiento en 100 metros expresado en segundos (indicador) | Puntaje correspondiente |
|---|---|---|
| Alumno # 1 | 17 | 7 |
| Alumno # 2 | 18 | 7 |
| Alumno # 3 | 16 | 8 |
| Alumno # 4 | 19 | 6 |
| ........ | ...... | ..... |
| Alumno # n | ....... | ..... |

Finalmente, podríamos calcular el "promedio" obtenido para cada curso, de acuerdo a las notas de los alumnos.

Un **promedio o media aritmética** es una sumatoria de los valores obtenidos en cada una de las unidades de análisis, dividido por el total de unidades. Se calcula mediante la expresión:

$$Media\ (X) = \frac{\sum_{j-1}^{n} X_j}{n}$$

El símbolo $\Sigma$ significa "sumatoria". La expresión puede parecer "complicada" pero es extremadamente simple: dice que la media (aritmética) es igual a la sumatoria de los valores (designa con una "j" a cada valor –que van desde "j"=1 hasta "J"= n que es el valor del caso *n* o último valor); dividido por el total de casos (ni más ni menos que lo que todos entendemos por un promedio).

El valor promedio no es el valor que corresponde a **ningún caso** en particular: a un valor de la población o del conjunto de mediciones. El valor del promedio no nos dice nada sobre lo esperable en un caso particular: no se puede juzgar el rendimiento en el examen de un sujeto si se sabe que el grupo al que pertenece obtuvo 8 (ocho): el sujeto podría tener un valor muy alejado de ese ocho (hacia arriba o hacia abajo; tener un 2 o un 10) y sin embargo ser miembro del grupo que tuvo 8 como promedio.

Además de calcular el promedio, podría ser de interés averiguar "cómo se ***distribuyeron***" los sujetos evaluados. Eso significa averiguar cuántos sujetos obtuvieron los distintos valores de la variable. Para ello la información se presenta en una "*Tabla de Frecuencias*" como la siguiente:

| Valores de la variable *(puntaje obtenido)* | *frecuencias* |
|:---:|:---:|
| 0 | 2 |
| 0 a 3 | 15 |
| 4 a 6 | 50 |
| 7 a 8 | 55 |
| 9 a 10 | 7 |
| **Total** | **129** |

Esta *tabla de frecuencias* nos permite, como su nombre lo indica, conocer la frecuencia de aparición de los distintos valores, o, dicho de otro modo, computar cuántas unidades de análisis obtuvieron cada uno de los valores de la variable. Sabemos que, del total de sujetos evaluados (129), 2 de ellos obtuvieron "0" puntos (es decir, "no realizaron la prueba"), 15 obtuvieron "entre 2 y 3", 50 obtuvieron "entre 4 y 6", 55 sujetos entre "7 y 8 puntos" y así sucesivamente.

Estas frecuencias también se pueden presentar como *frecuencias relativa porcentual*, estimando cuánto representa cada una sobre el total y multiplicando luego ese valor por 100; y como *frecuencias relativa porcentual acumulada*.

| Valores de la variable *(puntaje obtenido)* | *frecuencias absolutas* | *frecuencia porcentual* | *frecuencia porcentual acumulada* |
|:---:|:---:|:---:|:---:|
| 0 | 2 | 1.6 | 1.6 |
| 0 a 3 | 15 | 11.6 | 13.2 |
| 4 a 6 | 50 | 38.8 | 52.0 |
| 7 a 8 | 55 | 42.6 | 94.6 |
| 9 a 10 | 7 | 5.4 | 100.0 |
| Total | 129 | 100.0 | |

Como se advierte, la *frecuencia relativa porcentual* permite que, cualquiera sea el valor absoluto de nuestra muestra, se la pueda expresar por referencia a un valor común (100). De modo tal que se torna comparable con cualquier otra distribución sobre el mismo asunto, medida por referencia al mismo criterio.

Otra medida que puede interesarnos desde el punto de vista descriptivo es la que se llama ***moda o valor modal.*** La "moda" expresa el valor más frecuente ("andar a la moda" es andar como anda la mayoría). En nuestro caso, el valor modal es 7/8 ya que es el valor que presenta la mayor frecuencia (55 casos, que representan el 42.6% de nuestra muestra).

De igual modo puede calcularse la ***mediana,*** que es el valor en que la distribución se divide entre el 50% más bajo y el 50% más alto.

En nuestra distribución ese valor corresponde a 4/6 puntos: porque es el valor que divide la distribución en dos partes iguales (eso puede constatarse observando los valores de la ***frecuencia porcentual acumulada***).

A diferencia del promedio, la mediana no se ve afectada por los casos extremos. Veámoslo con un ejemplo: si se hace un promedio de "ingresos salariales" en donde la mayoría de la gente gana muy poco pero un pequeño grupo gana millones de millones, al promediar, obtendremos un ingreso *per cápita* (es decir, por persona) más o menos digno porque "le toca" a los más pobres una parte de lo que ponen los millonarios. Sin embargo, sabemos que eso no es real.

En cambio, si medimos cuánto es el salario en que la población se divide en dos partes iguales (50% por arriba y 50% por debajo de ese valor), esa cifra no se verá afectada por la presencia de millonarios o mendigos en los extremos de la distribución. Para calcular el valor de la mediana debemos **ordenar** a todos los sujetos –desde los que ganan menos a los que ganan más- y contar de manera ascendente hasta llegar al sujeto que divide al grupo en dos (si fueran 120 sujetos, ese sujeto será el número 60) y ver cuánto es su sueldo. Ese valor no se verá afectado por los pocos millonarios de nuestra población, que seguramente habrán quedado al final de la lista.

Todos estos valores, ***media, moda y mediana***, son valores de los cursos o de toda la escuela,  no del alumno (aunque fueron obtenidos en base a información obtenida de los alumnos).

Con ellos podemos ahora comparar los resultados obtenidos en las distintas escuelas, y averiguar luego quién obtuvo el mejor promedio, si ese mejor promedio estaba más o menos equilibrado (es decir, si la media y la mediana estaban próximas); cuáles fueron los valores modales o más frecuentes en cada caso, etc. Eso era precisamente lo que queríamos averiguar con este estudio.

## Tratamiento de datos en investigaciones interpretativas

Como lo hemos señalado al presentar las investigaciones interpretativas, las situaciones pueden ser muy variadas y muy variados los fines, el material y el tipo de tratamiento requeridos.

Pero en todas ellas el objetivo es extraer un nuevo sentido, un nuevo mensaje, del texto, discurso, imagen, película u obra de arte analizada.

Ilustraremos aquí dos situaciones posibles, abordándolas de manera sencilla y sintética.

Pongamos por caso que nuestra investigación se ha propuesto examinar la siguiente afirmación, asumida como hipótesis:

*"Marc Augé dice que la popularidad del horóscopo se debe a que otorga un mínimo de seguridad en la vida cotidiana y a que genera la ilusión de dominar el porvenir. Esto ocurre en una era donde, ante la debilidad de las respuestas colectivas, la reflexión sobre el sentido de la vida se "privatiza""*.

[Extraído de: http://www.clarin.com/suplementos/cultura/2007/08/11/u-03001.htm]

En esta investigación se trabajará con textos de "horóscopos" extraídos de algún medio de difusión escrita u oral.

Pongamos como ejemplo el siguiente fragmento, tomado de un horóscopo real:

Una ganancia financiera imprevista estará en los astros para ti. No es nada que esperaras recibir. Quizás sea una bonificación, o el pago de un crédito que hacía tiempo te habías olvidado o algún tipo de convenio. Lo que sea, definitivamente será una grata sorpresa. Sin embargo, no te lo gastes todo junto. Espera unos días y luego consulta a un profesional acerca de tu futuro financiero. Esto podría resultar de gran ayuda para ti. No lo desperdicies.

Supongamos que, para tratar este material, hemos decidido prestar atención a las siguientes variables o asuntos de análisis:

a.- *el encuadre de interlocución* (quién habla a quién, cómo se comunica).

b.- *el acto comunicativo* (qué tipo de acción crea el mensaje: promesa, orden, sanción, etc.).

c.- *el contenido de lo que se transmite* (qué se dice).

d.- *el contexto del mensaje.*

En lo que respecta al encuadre de interlocución, el contacto es directo y personal: se crea la apariencia de una referencia personal, casi un diálogo, algo que resulta del uso de la segunda persona del singular ("tu o vos") al dirigirse al destinatario.

En lo que respecta al acto comunicativo, se combinan dos aspectos muy distintos: la primera parte tiene la forma de una *predicción* o *adivinación*, mientras que la segunda, en cambio, es una *prescripción*, una suerte de *advertencia*.

En cuanto al contenido, se advierte que la *predicción* anticipa algo gratificante: se recibe algo no esperado, una"grata sorpresa".

Mientras que en cuanto a las "máximas de control", aparece un "alerta" que recae sobre la misma persona: "ser prudente, no malgastar". Tener conducta y controlarse. Incluso se crea la idea de que uno no es el más capacitado para saber qué hacer con eso inesperado que recibirá, se indica "consultar con los que saben" (los profesionales).

Desde el punto de vista del tratamiento de este material, la tarea consistiría en ampliar la cantidad de fragmentos —extraídos de una muestra de horóscopos- y averiguar luego si estos elementos son recurrentes, si reaparecen, si en todos ellos se presenta, por ejemplo, el elemento de la "predicción gratificante" junto con la dimensión del "control sobre sí mismo", etc.

Eventualmente podría averiguar si aparecen otros elementos no previstos en este primer análisis, etc.

El investigador, podría por ejemplo, extraer de todos los fragmentos las frases en que se hace referencia al "control sobre sí mismo", y listar todos ellos para averiguar en qué aspectos se repiten ideas semejantes y en qué aspectos no, etc.

Las siguientes expresiones son ejemplo de ese tipo de frases que aparecen en distintos fragmentos de un horóscopo:

*"Sé prudente"*

*"Actúa con orden y cuidado"*

*"No sobrepases tus propios límites"*

*"Ten control sobre ti y tus acciones"*

En todos ellos se identifican ciertos valores comunes: *control sobre sí mismo /limitación /prudencia, etc.*

En lo que respecta al contexto de este mensaje, podría ser de interés examinar en qué medio aparece (¿es una revista para adolescentes, para mujeres, un periódico, etc.?); eventualmente quién es el público consumidor de estos mensajes; o incluso qué diferencias se observan (si es que existen) cuando el horóscopo está extraído de diferentes medios gráficos.

A la luz de los resultados, luego del análisis de todos los materiales seleccionados, podría revisarse la hipótesis, **no sólo para saber si se confirma, sino también para especificarla, enriquecerla, ampliarla**.

Por ejemplo, podría mostrarse que no sólo se "privatiza el sentido de la vida" –como lo cree Marc Augé (hecho que se constata, por ejemplo, en el pequeño fragmento analizado, en el que la satisfacción resulta de recibir algo que incrementa las ganancias personales: *"la ganancia financiera imprevista"*) sino que también se "privatiza" el control de los propios actos, el autocontrol, etc.

Otro ejemplo, sobre este mismo tipo de investigaciones interpretativas, puede hacerse trabajando con textos o discursos publicitarios, políticos, etc.

En lo que respecta al tratamiento de otros materiales como, por ejemplo, el análisis de un film o una obra artística, un relato, la tarea es semejante en lo formal aunque, por supuesto, pueden cambiar el tipo de variables y unidades de análisis implicadas en cada caso.

Se tratará con unidades como "personajes", "escenas", "escenarios", etc. (en caso de obras fílmicas o novelas).

Generalmente será conveniente identificar un criterio ordenador basado, por ejemplo, en unidades narrativas como:

- **situación inicial,**

- **nudo o argumento central (generalmente se presenta como un conflicto, una pérdida, o**

 **cualquier situación que altera la situación inicial),**

- **desenlace**

- **restitución de un nuevo orden.**

En el interior de esas instancias se pueden identificar entonces los demás elementos, "personajes y funciones de éstos" (héroe, antihéroe, ayudante del héroe, etc.), "escenarios", etc. Y luego extraer *contenidos explícitos o implícitos, valores implicados* en cada uno de ellos y *relación con cierto contexto externo (*por ejemplo, realidad histórica ilustrada por la obra, conflicto psicológico evocado, problemática moral, etc.).

EL PROCESO DE INVESTIGACIÓN AVANZA DESDE LA TEORÍA HACIA LA OPERACIONALIZACIÓN, ES DECIR, HACIA LA CONSTRUCCIÓN Y OBTENCIÓN DE LOS DATOS.

PERO UNA VEZ OBTENIDOS LOS DATOS, SE RETORNA A LA TEORÍA: ANALIZAR LOS DATOS ES EXAMINARLOS DESDE LA PERSPECTIVA DE LAS HIPÓTESIS Y LOS MARCOS DE REFERENCIA CONCEPTUAL DE LA INVESTIGACIÓN.

- Bardin, Lawrence: *Análisis de contenido*. Madrid. Akal/Universitaria, 1977.
- Boudon-Lazarfeld: *Metodología de las ciencias sociales*. Barcelona. Laia. 1970.
- Krippendorff, Klaus: *Metodología del Analisis de Contenido. Teoría y práctica*. Barcelona. Paidós. 1990
- Samaja, Juan: *Epistemología y metodología*. Buenos Aires, EUDEBA, 1993.
- Samaja, Juan: *Semiótica y dialéctica*. Buenos Aires, JVE, 2000.

# Capítulo VIII. El Proyecto de Investigación como Plan y como Contrato

*Cuando se prepara el camino de una investigación estamos armando un plan de trabajo y asumiendo un compromiso.*

## El proceso de investigación a distintas escalas

La investigación constituye una actividad que se realiza a lo largo del tiempo. Es decir, que constituye un **proceso** que cumple un "ciclo vital": nace, se desarrolla y concluye.

Se puede hablar incluso de las "edades de un proceso de investigación". Por ejemplo, si se trabaja en temas bien consolidados, esa investigación se inscribe en la "edad madura" de un programa de investigación. En cambio si un investigador está abriendo un nuevo campo de indagación, su trabajo transita por una etapa de "juventud", exploratoria, que aún debe pasar por varias pruebas para llegar a consolidarse y madurar.

Incluso hay investigaciones que "se quedan en el camino", es decir, que nacieron, se desarrollaron hasta cierta etapa, pero luego se comprueba que esas búsquedas o esas propuestas no son viables, no "tienen destino". En cambio otras, que nacen con pocas expectativas, vacilantes, pueden llegar a mostrarse luego robustas, bien consolidadas y alcanzar etapas de plena madurez, hasta que su ocaso llega con el nacimiento de nuevas líneas de investigación que abordan desde perspectivas innovadoras los mismos temas que desarrollaba esa investigación.

Ahora bien, eso que hemos llamado **proceso de investigación** puede ser examinado desde distintos niveles de análisis:

Ese proceso puede ser descripto como el desarrollo de una **disciplina,** ya que toda disciplina científica constituye un largo y continuado proceso de investigación a lo largo del tiempo, que va especializándose, diferenciándose en varias sub-disciplinas o ramas, etc. Así, por ejemplo, podría examinarse la química desde Lavoisier hasta nuestros días, la física desde Galileo y Newton hasta aquí, la sociología desde Comte o Durkheim hasta épocas actuales.

El *proceso de investigación* también podría estudiarse de manera más acotada, tomando como referencia la **biografía** del fundador de una de esas escuelas o líneas de investigación: examinando cuáles fueron sus pasos iniciales, cómo maduraron sus ideas, cómo se transformaron en estrategias específicas de puesta a prueba; cómo se fueron consolidando esas experiencias originales, etc.

## TRES INVESTIGADORES

**La física moderna.** *Albert Einstein revolucionó nuestra manera de comprender el tiempo y el espacio.*

**La sociedad como cultura.** *Pierre Bourdieu analizó desde una perspectiva innovadora nuestra relación con las instituciones.*

**La causa escondida.** *Luc Montagnier fue el primero en aislar el virus causante del SIDA, lo que permite esperanzarse con una cura.*

**Albert Einstein** (1879-1955) es considerado el físico más importante del siglo XX, y por muchos físicos el mayor científico que haya existido jamás. En 1905 dio a conocer los principios de la llamada *Teoría especial de la relatividad* y en 1921 recibió el Premio Nobel de Física. Su principal postulado es que la velocidad de la luz en el vacío es la misma para todos los observadores, 299.792 kilómetros por segundo, y es independiente del movimiento relativo entre la fuente de luz y el observador. En esos primeros años, Einstein plantea su famosa relación $E = m \times c^2$, el producto de la masa por el cuadrado de la velocidad de la luz dan la energía asociada a una masa m. Masa y energía son dos formas equivalentes. Esto produjo una revolución en nuestra comprensión de la física del Sol y las estrellas y constituye la base de la energía nuclear.

**Pierre Bourdieu** (1930 –2002) fue uno de los principales sociólogos y antropólogos contemporáneos. Sus primeros trabajos fueron dedicados a estudiar el desarraigo de los trabajadores provenientes de las ex colonias francesas y sujetos a las prácticas laborales de las sociedades avanzadas. Ejerció como profesor de Sociología en París y Lille y fue nombrado director de estudios de la École Pratique des Hautes Études, en la cual fundó el Centro de Sociología Europea, que dirigió hasta su muerte. Bourdieu incorporó las técnicas de la investigación sociológica para explicar varias instituciones de la sociedad moderna, como la universidad o el campo intelectual, al mismo tiempo que estudiaba la forma en que juzgamos a los demás, el funcionamiento de la televisión y la manera en que se ejerce la dominación masculina.

**Luc Montagnier** (1932): jefe del Departamento de Virología del Instituto Pasteur (París, Francia) es considerado el descubridor del virus causante del Sida.
El VIH es el causante del Sida, enfermedad de la que se infectan en el mundo seis menores de 25 años por minuto, y que ha afectado desde su aparición a casi 34 millones de personas en todo el planeta.
En 1967 fue nombrado jefe de Investigación y en 1975, director del Centro Nacional de Investigación Científica de Francia. Desde 1972 dirige además la Unidad Oncológica Viral del Instituto Pasteur de París. En 1983 descubrió el virus del Síndrome de la Inmunodeficiencia Adquirida.
Sus actuales investigaciones se centran en los mecanismos por los cuales el VIH induce el descenso de los linfocitos CD4, la regulación del virus en estado latente y el estudio de las encefalopatías originadas por este virus.

Finalmente el proceso de investigación puede ser descripto a escala de **proyectos**.

Un plan o proyecto de investigación es la escritura de una propuesta de investigación en torno a preguntas suficientemente delimitadas como para hacer posible su tratamiento en un período relativamente breve (que puede variar entre pocos meses y tres años). Constituye un documento que por lo general se elabora para presentar ante instituciones que acreditan o financian su realización y en el que se estipulan los objetivos o productos y se preven los pasos a seguir para alcanzarlos.

A modo de síntesis se puede señalar que el proceso de investigación puede ser comprendido según se trate de:

-**la escala de desarrollo disciplinario**

-**la escala de desarrollo de Programas**

-**la escala de desarrollo de Proyecto**

En el primer caso se trata de un proceso abierto cuyo comienzo coincide con el nacimiento de una cierta disciplina; la segunda con un proceso más acotado vinculado a la existencia de un Programa; mientras que la tercera se refiere a tareas relativamente pautadas, con objetivos acotados y mensurables, que se fijan en un documento de trabajo llamado **Plan o Proyecto o Protocolo de investigación**.

Dado que lo que aquí nos interesa es ofrecer criterios guía para la escritura y realización de ese Proyecto o Plan de investigación, nos detendremos en los contenidos que –por lo general- contienen esos documentos de trabajo.

## SOBRE LOS CONTENIDOS DEL PROYECTO DE INVESTIGACIÓN

En términos generales, el Proyecto consta de tres grandes apartados:

- una primera parte destinada a presentar los **núcleos conceptuales del tema de la investigación.**

- una segunda parte destinada a presentar los **procedimientos previstos para la producción, el tratamiento y análisis de datos.**

- una tercera etapa destinada a presentar los **aspectos programáticos del proyecto, incluidos la definición de los productos, cronograma, eventualmente su transferencia o campos de aplicación, etc.**

Por lo general, un Plan o Proyecto de Investigación se escribe para ser presentado ante alguna instancia evaluadora. Esa instancia puede ser un ámbito académico (una escuela, una facultad, una universidad) un organismo de ciencia y técnica o una entidad o empresa privada que apoya y financia proyectos de investigación.

Estas instancias evaluadoras suelen definir, y algunas de manera bastante estricta, los criterios de presentación del Proyecto, aunque en general los contenidos exigidos son básicamente los mismos.

A continuación describiremos cada uno de los ítems que se suelen incluir en un Proyecto, los que pueden ser utilizados como una Guía para la ejercitación en esta tarea en un espacio de Taller de trabajos prácticos.

Debe recordarse que hay que distinguir entre la *"escritura y elaboración del Proyecto"* y la *"ejecución del Proyecto"*. En el primer caso, se estipula un plan para la realización de una investigación, mientras que en el segundo ese plan se lleva a la práctica.

# CONTENIDOS

Los contenidos previstos en el Proyecto son los siguientes:

1. Título del Proyecto.

2. Marco de Referencia conceptual.

3. Justificación o relevancia del tema.

4. Estado del Arte.

5. Problemas de la investigación.

6. Hipótesis.

7. Objetivos: generales y específicos.

8. Bibliografía.

Los contenidos referidos a los procedimientos para la producción y el tratamiento de datos pueden organizarse de la siguiente manera:

9. Materiales y métodos:

    A) Diseños del sistema de matrices de datos de la investigación.

    B) Muestras.

    C) Instrumentos.

    D) Tratamiento y análisis de los datos.

Finalmente, lo referido a los aspectos operativos para la organización de las actividades prevé los siguientes apartados:

10. Plan de actividades.

11. Cronograma.

12. Transferencia de resultados (cuando puede estipularse).

13. Presupuesto (cuando corresponde).

# 1. TÍTULO DEL PROYECTO

El título debe corresponderse de la manera más fiel posible con el asunto central o el tema sobre el que va a tratar la investigación. No es deseable usar metáforas ni construcciones demasiado elípticas. Si el tema es complejo, o si se abordan varios aspectos sobre un mismo asunto, será deseable intentar un título que sintetice esa complejidad, aunque sea de manera esquemática, o utilizando un subtítulo.

Si se piensa trabajar en una investigación sobre el *"Proyecto de Vida de jóvenes y adolescentes. Características, diferencias según procedencia socioeconómica, etc."*, ese asunto debe quedar relativamente bien formulado en el título del trabajo, de modo tal que leyendo el título se comprenda de manera aproximada cuál es el núcleo del trabajo y desde qué estrategia se lo va a abordar.

En relación al tema anterior, un título podría ser:

*"Descripción del Proyecto de Vida relativo a la formación profesional/laboral y en la constitución familiar en adolescentes y jóvenes de 14 a 19 años según los contextos socioeconómicos de donde provienen".*

Adviértase que en el título aparece la unidad de análisis "focal" de la investigación, las variables o grandes dimensiones de análisis y el tipo de estudio del que se trata; en este caso un estudio descriptivo.

Por todo ello, aunque el título es lo primero que aparece, puede llegar a ser lo último en ser definido, ya que para ello será conveniente que los problemas estén bien formulados, que se disponga eventualmente de hipótesis y también se defina la estrategia con la que va a abordarse la investigación.

## 2. Marco de referencia conceptual

En algunos casos se suele pedir sólo una breve introducción al tema. En otros, se habla de marco teórico o marco conceptual de referencia. En ambas circunstancias se trata de relacionar el tema con los desarrollos teóricos, perspectivas de trabajo y antecedentes en el área en que se inscribe.

En lo que respecta a la elaboración del marco de referencia conceptual o marco teórico, se debe tener presente que se trata de una tarea de "entretejido" de conceptos, de modelado o construcción conceptual, antes que de una mera yuxtaposición de citas y autores. No se trata de demostrar conocimiento sobre el tema sino de ordenar y articular los conceptos que van a usarse en la investigación. Esa elaboración deberá permitir justificar y derivar las preguntas que orientan la investigación.

El marco conceptual deberá permitir conocer el enfoque que se adopta, explicitar los presupuestos que orientan las hipótesis o simplemente las conjeturas que las guían.

Insistimos una vez más en que no debe confundirse con una acumulación de citas, aunque la referencia a otros autores y otros antecedentes en temas afines a la investigación deben estar invocados, con la intención de mostrar a un mismo tiempo coincidencias y divergencias con dichos antecedentes y referentes. Las diferencias pueden ser tan simples como las de resaltar que los problemas que aborda la investigación aún no han sido tratados por esos otros autores o investigaciones, o tan importantes como para señalar en qué punto esas otras investigaciones han encontrado un cierto límite para el tratamiento de un tema.

Esto dependerá –entre otras cosas- del grado de originalidad del enfoque adoptado. Las investigaciones muy innovadoras seguramente se diferenciarán de los marcos teóricos consagrados y validados. Las menos innovadoras se adecuarán a ellos sin mayores conflictos.

De cualquier modo, el marco conceptual constituye la referencia de la que se desprenden, y por la que se justifican, los problemas y las hipótesis de la investigación.

Deberá regresarse a él a la luz de los resultados alcanzados, cuando la investigación se haya cumplido y haya llegado el momento de interpretar el alcance de esos productos o resultados.

## 3. Justificación o relevancia del tema

En algunos casos, este ítem puede incluirse como parte de la Introducción o la presentación del tema. En otros puede o debe presentarse como un capítulo separado.

Existen dos acepciones reconocidas del término relevancia, que pueden integrarse y complementarse:

a. la relevancia que el tema de la investigación tiene para abordar o resolver un problema real, de la vida social en sentido amplio –esto atañe a la potencial transferencia de resultados para resolver o contribuir a resolver ese tema-;

b. la relevancia del tema en el marco de la comunidad científica, aún cuando su transferencia al mundo extracientífico no sea inmediata o especialmente relevante en el corto plazo.

## 4. ESTADO DEL ARTE

Se trata de elaborar un pequeño texto en el que se presenta el estado de situación en el desarrollo de la temática que aborda el Proyecto. El estado de situación o "estado del arte" alude a un análisis de las producciones disponibles (libros, revistas científicas, actas de Congreso, etc.) y vinculados al tema del Proyecto.

Desde el punto de vista de los evaluadores del Proyecto, debe quedar claro que el investigador conoce los desarrollos alcanzados en el tema que va a tratar. De igual modo, puede servir para resaltar la originalidad de la propuesta que se presenta.

En cuanto a la forma, la redacción puede ser un poco más esquemática que la que se presenta en el marco de referencia conceptual, porque lo que se pide es una especie de enumeración de citas comentadas de las distintas escuelas y una breve referencia de los desarrollos de cada una en relación al tema.

## 5. PROBLEMAS DE INVESTIGACIÓN

Se trata de formular y presentar las preguntas que orientan la investigación. Como hemos visto, los problemas son organizadores de toda la investigación.

Deberán derivarse del marco de referencia conceptual, es decir, deberán surgir del examen de los saberes disponibles: un problema es una situación de incertidumbre, de duda, que se abre sobre el fondo de algunos saberes disponibles. Las preguntas relevantes surgen siempre a partir de un conocimiento teórico o práctico sobre el asunto que se va a investigar.

Se pueden definir las preguntas de investigación como aquéllas que habrán de responderse con algún tipo de "conocimiento" que no estaba disponible antes del desarrollo de la investigación. Ese conocimiento puede ser local, cuando se trata de estudios diagnósticos, o general, cuando se trata de estudios conceptuales o de investigación científica.

## 6. HIPÓTESIS SUSTANTIVAS Y DE TRABAJO

Las hipótesis son respuestas tentativas a preguntas de investigación y resultan, junto a los problemas y objetivos de investigación, grandes organizadores del trabajo.

El alcance de las hipótesis, al igual que el de los problemas, varía según cuál sea el esquema de investigación: en las investigaciones exploratorias las formulaciones hipotéticas se ocupan de la identificación de las grandes dimensiones o variables, en las investigaciones descriptivas tratan acerca del comportamiento esperado de las variables –incluyendo las correlaciones u otro tipo de asociaciones entre ellas–; y en el esquema explicativo, la comprensión de conjunto, más integral del fenómeno que se investiga.

Al igual que con las preguntas de investigación, pueden formularse más de una hipótesis, tantas como problemas se hayan formulado.

## 7. OBJETIVOS GENERALES Y ESPECÍFICOS

Se trata de especificar los productos de la investigación, es decir, los resultados que deberán obtenerse una vez cumplida la investigación y que servirán para iluminar o contrastar las hipótesis y/o para responder a los problemas planteados por la investigación.

No deben confundirse ni con los fines o propósitos de la investigación, ni con las actividades o tareas para alcanzarlos.

Por ejemplo, una investigación que se proponga conocer *¿cómo varían los prejuicios ante la homosexualidad en diversos grupos sociales?*

Puede tener como objetivo:

- **Comparar las valoraciones y actitudes ante la homosexualidad entre sujetos adultos heterosexuales provenientes de tres grupos socioeconómicos en la ciudad de Buenos Aires.**

Una actividad en cambio se define según un fin práctico, que puede incluir la realización de ciertas tareas. Así, por ejemplo, una actividad derivada del objetivo anterior podría ser:

- **Selección de una muestra aleatoria de sujetos adultos residentes en la ciudad de Buenos Aires de nivel socioeconómico ABC1.**

Queda claro que la "selección de la muestra" es un medio para el cumplimiento del objetivo previsto, pero no constituye el objetivo en sí mismo.

De igual modo, un propósito de la investigación tiene que ver con los fines o intenciones que guían o motivan la investigación, pero no constituyen los objetivos propios de la investigación.

Para el ejemplo anterior, un fin o propósito de la investigación podría ser:

- **Aportar elementos de juicio para la realización de campañas que contribuyan a una actitud menos prejuiciosa ante la homosexualidad.**

La investigación no tiene como propósito realizar campañas de promoción que contribuyan a disminuir los prejuicios homofóbicos. Ése puede ser un motivo que impulse la realización de esa investigación, pero no se incluye como un asunto de la investigación.

Por más que una investigación esté inspirada en mejorar una cierta cuestión de la vida social (el hambre, la desocupación, la falta de proyectos de vida entre los jóvenes, por ejemplo) no se le puede exigir que resuelva esos problemas.

Lo que sí puede hacer la investigación es producir conocimientos que contribuyan a comprender, conocer o interpretar fenómenos asociados a esos problemas. Dicho de otra manera, una investigación arroja siempre un producto de conocimiento.

Los equipos de investigación pueden y deben hacerse cargo del cumplimiento de los objetivos. Al finalizar la investigación se deberá evaluar si los objetivos trazados fueron o no cumplidos. Pero no puede hacerse cargo de los propósitos: no está en manos del equipo de investigación (salvo como dijimos en el caso de la "investigación-acción") resolver alguno o todos los problemas que impulsaron la realización de esa investigación (sean éstos el hambre, la desocupación, la falta de proyectos, etc.).

En lo que respecta a su forma, los objetivos suelen presentarse con  "verbos en infinitivo" y hacen referencia a grandes operaciones cognitivas del siguiente tipo:

"Describir….

"Comparar…

"Evaluar…

"Contrastar…etc.

Por lo general, un proyecto tiene entre dos a cinco objetivos, dado que deben haberse cumplido en el lapso en que se desarrolla la investigación.

En la mayoría de los casos se solicita la formulación de un objetivo general, del cual se desprenden objetivos específicos que se encuadran dentro del objetivo general.

## 8. BIBLIOGRAFÍA

Se trata de un apartado destinado a indicar las referencias correspondientes a las citas incluidas en la primera parte del Proyecto: en el marco de referencia conceptual, en el estado del arte y eventualmente en la justificación del Proyecto.

En todos los casos estas referencias deberán hacerse conforme a los criterios establecidos por las tradiciones científicas, por ejemplo, indicando autor, título de la obra, editorial, ciudad de edición, año.

A veces se solicita mencionar, además de  la "Bibliografía citada", la "Bibliografía consultada", que incluye la anterior pero que no está presente de manera explícita en el texto del proyecto.

## 9. MATERIALES Y MÉTODOS

En este apartado se incluyen una serie de subcapítulos relacionados con las tareas de operacionalización e instrumentación para la producción, el tratamiento y el análisis de datos.

*a) Matrices de datos*

Se trata de explicitar las unidades de análisis, variables, sub-variables (cuando corresponda), valores (cuando resulte posible preverlos) e indicadores o definiciones operacionales.

La definición de todos estos componentes permite explicitar las características del dato que se necesita producir para el desarrollo de la investigación. Adviértase que lo que se necesita producir es la "previsión" de la estructura del dato, algo que es muy distinto al "dato producido".

Las matrices de datos deberán derivarse de las definiciones conceptuales que se fueron precisando como problemas, hipótesis, objetivos y siempre en referencia a un marco conceptual que fundamente todos esos componentes. Dicho de otro modo, debe haber coherencia entre todos esos campos o contenidos y la definición de las matrices de datos, ya que se está hablando de un mismo asunto: en un caso bajo el modo de la definición conceptual y en el otro bajo el modo de su traducción empírica.

### b) Muestras

Las muestras aluden a la selección de las unidades de análisis con las que se va a trabajar.

Las características de las muestras dependen del esquema de investigación, de la estrategia elegida y del tipo de asunto a tratar.

De manera general, las muestras se dividen en dos grandes grupos: muestras aleatorias, es decir, regidas por el azar, y muestras no aleatorias. En todos los casos, deberá justificarse la elección que se ha hecho entre uno y otro gran grupo.

Es importante recordar que no existen criterios absolutos para la selección de una muestra. En ello se ponen en juego múltiples factores: unos vinculados al esquema de investigación, otros a la accesibilidad a los casos o unidades de análisis, otros a las características fundamentales de estas unidades.

En una misma investigación, pueden utilizarse distintos tipos de muestras en distintos niveles o momentos del trabajo.

**Nosotros y los libros.** *Investigación de la relación de los argentinos con las distintas manifestaciones culturales.*

## UNA MUESTRA CON CULTURA

El muestreo se estructuró en cuatro etapas:

PRIMERA ETAPA: selección de los estratos poblacionales a fin de representar a la totalidad de la heterogeneidad demográfica de nuestro país. En tal contexto se definieron seis estratos poblacionales:

Estrato I: AMBA. Distrito metropolitano compuesto por Capital Federal y Gran Buenos Aires.

Estrato II: ciudades que tienen entre 500.001 y 1.500.000 de habitantes.

Estrato III: ciudades que tienen entre 250.001 y 500.000 habitantes.

Estrato IV: ciudades que tienen entre 120.001 y 250.000 habitantes.

Estrato V: ciudades que tienen entre 50.000 y 120.000 habitantes.

Estrato VI: ciudades que tienen menos de 50.000 habitantes.

SEGUNDA ETAPA: Obtención de conglomerados geográficos en cada estrato y definición de los puntos muestra a incorporar.

TERCERA ETAPA: Determinación de criterios probabilísticos para la elección de hogares en cada uno de los puntos muestras definidos.

CUARTA ETAPA: Criterios de determinación del entrevistado definitivo en cada hogar, estrictamente ajustados a parámetros poblacionales de sexo y edad.

Estudio Nacional del Sistema Nacional de Consumos Culturales, 2005.

## c) Instrumentos

Los Instrumentos tienen que ver con el diseño o la selección del dispositivo material en el que se implementarán los indicadores seleccionados.

Al igual que en el caso de las muestras, en una misma investigación pueden utilizarse distintos tipos de Instrumentos.

En el campo de la investigación social y psicológica, se incluyen entre los Instrumentos la observación (en todas sus vertientes), la entrevista (incluida la entrevista clínica), la encuesta (en todas sus variantes), etc.

En algunos casos es posible disponer del Instrumento al momento de presentar el Proyecto, en otros sólo se adelantan las grandes definiciones generales, incluyéndose el diseño del mismo entre las actividades previstas por la investigación.

**Debajo del agua**. *Los hábitos de las ballenas son uno de los puntos de mayor interés para los investigadores de las formas de vida en la costa argentina.*

**EL MUNDO MARINO**
**PROYECTOS DESARROLLADOS:**

**BIOLOGÍA DE MAMÍFEROS MARINOS**
Monitoreo de colonias de Pinnípedos de la Provincia de Buenos Aires.
Registro de avistajes y varamientos de Cetáceos en la Provincia de Buenos Aires
Confección de colecciones biológicas de referencia
Estudios experimentales de alimentación
Estudios biológicos sobre la Ballena Franca Austral
Programa reproductivo de Mamíferos Marinos
Rehabilitación de Mamíferos Marinos

**BIOLOGÍA DE AVES MARINAS**
Reproducción y crianza de Pingüinos de Magallanes
Reproducción y crianza del Flamenco Austral
Rehabilitación de aves marinas

**BIOLOGÍA TORTUGAS MARINAS**
Estudios sobre la biología de las tortugas marinas del Atlantico Sudoccidental
Estudios de alimentación
Estudios de migración y presencia en las costas bonaerenses
Estudios sobre amenazas o situación actual en el mar argentino.

Los proyectos de la Fundación Mundo Marino.

## d) Tratamiento y análisis de datos

En este apartado se deberá explicitar el tipo de tratamiento a que se someterán los datos. Esto depende de las características de la información producida y de los objetivos de la investigación. Es conveniente anticipar cuál será el tratamiento previsto: por ejemplo, si el tratamiento será de tipo estadístico, indicar de manera precisa o aproximada qué tipo de cálculos están previstos y cómo se justifican en relación a los objetivos. De cualquier manera, siempre estará abierta para el investigador la posibilidad de ampliar, revisar o sustituir unos cálculos por otros en el desarrollo de la investigación.

De igual modo, si se trata de datos textuales, se deberá indicar el procedimiento, aunque sea de manera general, que se utilizará para su  tratamiento. Conviene también en este caso indicar si el tratamiento apunta a construir una tipología, evaluar el comportamiento de una variable, la comparación entre dos grupos, etc.

## 10. Plan de actividades

Se trata de precisar con algún nivel de detalle el conjunto de actividades que se estiman realizar para el cumplimiento de los objetivos. Las actividades deberán vincularse a los objetivos previstos, y suele ser útil ordenarlas por referencia a ellos: listar las actividades según correspondan a cada uno de los objetivos.

Las actividades se conciben como las grandes tareas que se espera cumplir para alcanzar los objetivos propuestos. Pueden ser de diversos tipos: desde actualizaciones bibliográficas hasta tareas de relevamiento de campo y análisis de resultados.

## 11. Cronograma

El cronograma de actividades está directamente vinculado con el Plan de actividades: constituye la especificación en tiempo cronológico del período que demandará la realización de las actividades y en qué momento del lapso total del tiempo previsto para la realización del Proyecto se estipula la realización de cada una de esas actividades. También es útil para organizar y planificar las actividades dentro del equipo de investigación.

En general, cuando se presentan los Informes de investigación se comunica el cumplimiento de las actividades, según el cronograma previsto. La presentación del cronograma suele hacerse por referencia a año calendario desde el comienzo de la investigación, fragmentando la ubicación de las actividades por mes, quincena o semana. Suele ser necesario presentarla en forma de una matriz o grilla, en la que por un lado se ordenan las actividades y, por el otro, se especifica la referencia temporal. El siguiente es un detalle de un cronograma de actividades:

| | Actividad | Meses | | | | | | | | | | | |
|---|---|---|---|---|---|---|---|---|---|---|---|---|---|
| | | 1 | 2 | 3 | 4 | 5 | 6 | 7 | 8 | 9 | 10 | 11 | 12 |
| | 1.1.Revisión de la literatura | X | X | X | X | X | X | X | X | X | | | |
| | 1.2. Ajuste y aprestamiento del instrumento para el relevamiento | | | | | X | X | | | | | | |
| | 1.3. Pilotaje del instrumento | | | | | X | X | X | X | | | | |
| | 1.4. Selección de los sujetos para la muestra | | | | | X | X | X | X | X | | | |
| **Objetivo 1** | 1.5. Relevamiento de datos | | | | | | X | X | X | X | X | X | X |
| | 1.6. Sistematización de resultados | | | | | | | | | | X | X | X |
| | 1.7. Interpretación y análisis | | | | | | | | | | | X | X |

## 12. Transferencia de resultados

La transferencia suele estar vinculada a la relevancia o justificación de la investigación. Esto depende del alcance de la investigación. En la investigación básica la transferencia puede estar vinculada a otras áreas de desarrollo en el mismo tema; en cambio en la investigación tecnológica o de desarrollo, puede ser destinada a otros ámbitos no académicos, no investigativos e incluso no profesionales.

Deberá explicitarse quiénes podrían ser potenciales beneficiarios de la investigación, y en el caso de haber pautado previamente esa transferencia con alguna institución o dependencia particular, deberá hacerse mención a ella. No siempre se exige este ítem en la escritura de un Proyecto de Investigación.

## 13. Presupuesto

Éste sólo se estipula cuando la investigación requiere de algún modo de financiación total o parcial. En esos casos se estima el gasto que demanda el cumplimiento de las distintas actividades. A veces se puede incluir el pago a los investigadores, pero en otras sólo se cubren gastos para la ejecución de las actividades –que puede involucrar también el pago a terceros por servicios (como desgrabaciones, traducciones, realización de encuestas, etc.)

EL PROYECTO DE INVESTIGACIÓN CONSTITUYE UN DOCUMENTO EN EL QUE SE ESTIPULAN EL CONJUNTO DE PASOS A SEGUIR PARA LLEVAR ADELANTE LA INVESTIGACIÓN: POR UNA PARTE, EL DISEÑO METODOLÓGICO Y POR OTRA, LOS ASPECTOS OPERATIVOS (CRONOGRAMA, PRESUPUESTO, TRANFERENCIA, ETC.).

SE TRATA ADEMÁS DE UN DOCUMENTO ELABORADO PARA ELEVAR A UNA INSTANCIA INSTITUCIONAL QUE PODRÁ APOYAR, SUBSIDIAR O AUSPICIAR EL DESARROLLO DEL TRABAJO.

- Samaja, Juan: *Epistemología y metodología*. Buenos Aires, EUDEBA, 1993.

- Samaja, Juan: *Semiótica y dialéctica*. Buenos Aires, JVE, 2000.

- Sabino, J.: *El proceso de investigación*. Buenos Aires, Lumen-Humanitas, 1996.

- Selltiz, C. et. al.: *Métodos de investigación en las relaciones sociales*. Madrid, Rialp, 1970.

# Capítulo IX. Escribo, *luego*, existo

*La escritura no es un mero apoyo de la actividad científica:*
*es su forma de existencia y de producción.*

## Introducción

Aunque hace mucho tiempo que hemos perdido la posibilidad de conversar con Lavoiser, con Torricelli, con Dalton, con Durkheim, con Einstein,  sus trabajos siguen leyéndose y en algunos casos discutiéndose entre los investigadores contemporáneos.

Eso no ocurre sólo con los científicos que ya no están físicamente entre nosotros sino también con los que trabajan y producen actualmente en cualquier parte del mundo. La ciencia es una práctica social que se desarrolla a través de la escritura.

Las comunidades de investigadores se comunican fundamentalmente por medio de diversas producciones escritas: desde trabajos para congresos y eventos científicos hasta artículos en revistas, pasando por tratados y obras de divulgación.

Actualmente internet y otros recursos tecnológicos permiten una difusión rápida y global de esas producciones, generalmente organizadas en Redes Documentales o portales de ciencia y tecnología.

***Ante la pantalla****. Usuarios se comunican, se informan, adquieren productos y se relacionan por intermedio de la red.*

### USOS DE INTERNET

Podemos encontrar, al menos, dos formas diferenciadas de uso de Internet entre los usuarios, como Instrumento de Comunicación y como Herramienta de Búsqueda de Información. En general, "Internet" y "correo electrónico" aparecen como términos asociados en el discurso de los internautas. En esta dimensión comunicativa también aparecen los chats y los foros. Pero hay otros  usos que posicionan a Internet como base informativa y documental. Desde averiguaciones "personales" para el disfrute del tiempo de ocio hasta búsquedas de información altamente especializada en el ámbito laboral y académico.

Los usuarios reconocen que Internet, como herramienta de búsqueda de información, aporta autonomía, es decir, independencia en oposición a un interlocutor "real" que no siempre es atento, accesible ni está bien informado. Adicionalmente, esta ventaja permite búsquedas más "relajadas" y "libres".

Un rasgo importante del uso de la red como base de información/ documentación es la participación activa del que busca. Los usuarios al actuar como sujetos activos acotan el área y el tiempo de búsqueda y autodefinen la cantidad y la calidad de información que consideran "satisfactoria". Por ello, en general,

Internet se percibe como un "canal personalizado", que se adapta a las necesidades de los usuarios. Para muchos Internet es un lugar donde puede hallarse prácticamente todo lo que se busca y, lo que no siempre es aconsejable, como un reemplazo de la biblioteca.

## QUÉ ES LA ESCRITURA CIENTÍFICA

La escritura es la culminación de todo trabajo de investigación.

Aún cuando se trate de investigaciones no profesionales o informales, los resultados y el proceso de la investigación deben ser comunicados de forma escrita. Estas producciones están sujetas a distintas convenciones y criterios. Veremos luego que en algunos casos esos criterios presentan cierta rigidez, mientras que en otros, como en las comunicaciones de divulgación, son más libres y quedan sujetas a las modalidades que le imprimen los propios investigadores.

## LOS GÉNEROS DE LA COMUNICACIÓN CIENTÍFICA

Hay muy variadas maneras, estilos y medios de comunicar la ciencia. Los distintos géneros se definen por las diversas relaciones que se establecen entre el autor del texto y su destinatario, según el contexto para el que es producido (ámbito académico o escolar, comunidad científica, público general, etc.).

Algunos de los géneros más frecuentes son:

**Monografías**: se trata generalmente de textos producidos en el ámbito educativo (en diversos niveles de enseñanza) y cuya función principal es demostrar algún mérito o reconocimiento en el marco de la enseñanza. Generalmente se desarrollan en base a una investigación documental y tienen una estructura basada en la exposición, desarrollo y confrontación de una cierta idea o tema nuclear.

**Tesis**: se trata de documentos producidos en el ámbito académico, para acceder a títulos de postgrado (doctorado, maestría, etc.). En la escritura de la tesis se presenta el desarrollo de una investigación sobre un asunto relativamente original (cuanto más alto sea el grado académico al que se aspira, mayor será la exigencia de originalidad). Ese asunto es la tesis que el autor/a deberá defender ante un jurado o tribunal que evaluará la relevancia de su tema, la adecuación y corrección del trabajo de investigación desarrollado y los hallazgos y resultados alcanzados. A diferencia de un trabajo de investigación, la tesis deberá contener una exhaustiva y profunda revisión bibliográfica sobre el tema del que trata, además de un amplio desarrollo y una trabajada fundamentación teórica.

**Tesinas:** Son las tesis elaboradas para acceder a títulos de grado universitario (como por ejemplo, una licenciatura). Suelen ser menos complejas que las tesis de postgrado, más breves y, por lo general, se exige menos originalidad en la elección y abordaje del tema.

**Artículos científicos:** son escritos que se proponen informar resultados –parciales o totales- de una investigación. Se publican en revistas científicas, por lo general especializadas. Deben informar los objetivos, problemas e hipótesis de la investigación, el marco teórico en que se inscribe y explicitar la metodología utilizada. Luego se presentan los resultados y se los discute a la luz del marco teórico y las hipótesis que orientaron el trabajo. De esa discusión se extraen algunas conclusiones, generalmente para indicar cuál es el alcance de los resultados y qué nuevos interrogantes se abren a partir de ellos. En algunos casos, las revistas científicas seleccionan los artículos a publicar a través de la valoración de expertos que deciden si los artículos serán o no objeto de publicación.

**Ponencias para congresos o eventos científicos:** tienen la misma finalidad y en términos generales los mismos contenidos que el artículo científico. Pero suelen ser más breves y están escritos para ser leídos y comentados de manera oral en encuentros científicos. Se publican en algunos casos en Memorias que recogen las producciones de todos los participantes en esos eventos. En la mayoría de los casos, suelen ir acompañados por un resumen, que es un texto muy breve en el que se presenta lo más importante del trabajo, incluyendo tema, objetivo, metodología y resultados.

**Posters o murales:** son producciones elaboradas también para presentaciones a Congresos o eventos científicos. A diferencia de la ponencia, el expositor no lee su trabajo sino que lo presenta en una suerte de mural en el que comenta y exhibe la metodología seguida en su investigación y los resultados alcanzados (generalmente se elabora con textos, gráficos, ilustraciones, etc. que hacen más amena y accesible la comprensión del trabajo). En ciertos momentos de la jornada científica, el expositor debe permanecer junto a su mural para contestar preguntas a los asistentes.

**Informes de investigación:** son informes que se escriben para ser presentados ante instancias que acreditan o financian trabajos de investigación (organismos de ciencia y tecnología de los gobiernos, fundaciones privadas, universidades, etc.). En ellos se debe informar sobre el cumplimiento o incumplimiento de los objetivos previstos, o eventualmente su modificación o ajuste a causa de inconvenientes o hallazgos producidos en el desarrollo de la investigación. También se informan los productos alcanzados (publicaciones, patentes, participaciones en eventos científicos, etc.) y cualquier otra información relevante que contribuya a justificar el apoyo recibido para el desarrollo de la investigación (premios recibidos por los trabajos o los investigadores, intercambios con otros equipos, invitaciones por otros centros, etc.).

**Tratados o compendios:** un tratado es una obra que sintetiza o integra el desarrollo de todo un programa de investigación. Suelen ser escritos cuando ese programa ha alcanzado cierta madurez y se encuentra ya consolidado. En ellos se puede recorrer la historia del desarrollo de esa línea de investigación o acceder a un estado del arte en el tema en el momento en que se produce el escrito. Puede elaborarse también siguiendo la trayectoria de uno o varios fundadores de dicha orientación o línea de investigación.

## CARACTERÍSTICAS GENERALES DE LA ESCRITURA CIENTÍFICA

Como el método de la ciencia es, precisamente, el método basado en el *"dictamen de los hechos"*, la comunicación científica suele privilegiar el modo impersonal y libre de intenciones o valoraciones de los investigadores.

Es un estilo comunicativo muy distinto al que utilizamos en las relaciones personales, familiares o de amistades, donde la comunicación es directa, dejando ver nuestras intenciones, emociones o valoraciones. Allí, el sujeto se involucra de manera directa usando por ejemplo la primera persona del singular ("yo"), y explicitando también la referencia a un interlocutor o destinatario, "tú" (o "vos", o "usted").

En los escritos científicos, en cambio, por lo general se comunica de manera desafectivizada, de modo objetivo, como en el siguiente caso:

"En esta experiencia ***se ha mostrado*** que los fenómenos estudiados no presentan variaciones en la situación A o B".

El uso del pronombre reflexivo "se" oculta precisamente la personalización del enunciador, busca que el discurso se presente como mera descripción de los hechos que son comunicados de forma imparcial e impersonal.

A pesar de ser éste el estilo hegemónico en la comunicación científica, en ciertas tradiciones de investigación (como las que incluimos en el capítulo de ***investigaciones interpretativas***) se ha comenzado a valorar de manera positiva la inclusión de la perspectiva del investigador, como se aprecia en el siguiente ejemplo:

"El trabajo de campo se realizó en la comunidad wichi de la región norte de la provincia de Formosa. Inicialmente resultó difícil el contacto con los pobladores, no sólo por la desconfianza que advertíamos en ellos sino también por los propios temores y prejuicios del equipo. Fue necesario un largo proceso de reconocimiento recíproco para poder comenzar a tratarnos, y muchos de nosotros debimos habituarnos a estilos comunicacionales que nos resultaban especialmente ajenos".

Como se advierte en este texto, los investigadores refieren de manera personal sus propios temores, expectativas y dificultades. Esto ocurre en especial —aunque no exclusivamente- en investigaciones del área de las ciencias sociales, la psicología social, la antropología, etc. cuando el contacto social o personal es el asunto principal de la investigación.

En el siguiente ejemplo, se observa también la explicitación de la posición del "interprete/investigador" en el abordaje de su objeto de estudio. Se trata de un comentario vinculado al encuadre metodológico para el análisis de un discurso político:

"Al abordar el texto, no olvidamos que lo hacemos desde el lugar de ciudadanos de un país dependiente, desde una perspectiva profesional pero también ideológica y política...".

Interesa señalar, sin embargo, que en las disciplinas en las que no se estila la referencia personal en la escritura, ésta se deja ver a través de elementos polémicos y retóricos (es decir, que pretenden convencer de una determinada posición). Eso significa que en muchas ocasiones se argumenta contra el punto de vista de otro (sea otra perspectiva, otros antecedentes, otras orientaciones), de modo tal de situar la propia posición por referencia (o diferencia) con esas otras posiciones.

En el siguiente fragmento (extraído de un texto de química general) se aprecia este estilo argumental:

> "La interpretación que **se** ha dado del enlace covalente como una compartición de electrones **es** una imagen sencilla e intuitiva de la formación de este enlace **pero**, en realidad, muy imperfecta, **pues** nada **nos dice** acerca de la distancia entre los átomos que están unidos, de la fuerza del enlace **y mucho menos** de su dirección en el espacio puesto que, en lo que se refiere a este respecto, **sabemos que** los enlaces están dirigidos según ciertas direcciones que determinan la configuración espacial de la molécula".

Nuevamente aparece el modo impersonal ("*la interpretación que **se ha** dado, etc.*) no sólo por el uso del reflexivo, sino también del llamado *nosotros mayestático* (como cuando se dice: "*nada nos dices..*" o "*sabemos que los enlaces...*"). Se lo llama "mayestático" porque proviene de "majestad", y era usado para expresar la autoridad o dignidad de reyes o papas. También se lo denomina "plural de modestia", porque el *nosotros* encubre al "yo" que enuncia.

Pese a estos encubrimientos del enunciador, el discurso se ubica en una posición polémica frente a otra u otras posiciones: el "***nada nos dice***" se opone, por ejemplo,  a "***sabemos que...***".

En definitiva, aún cuando se omiten las referencias subjetivas, la escritura científica es siempre espacio de debate entre intereses, perspectivas e incluso posiciones de poder (epistémico, institucional, político) muchas veces contrapuestas o en tensión.

Otra manera de "dialogar" con otros autores u otras posiciones es a través del uso de **citas**. Dado que toda investigación se inscribe en alguna tradición y recupera aportes previos, en cualquier tipo de comunicación científica debe explicitarse la referencia a dichos antecedentes. Las **citas** pueden usarse con diversos fines retóricos. Sea para apoyar y validar el propio punto de vista (citando por ejemplo, una autoridad en la materia que se trata), sea para confrontar con el punto de vista de otro.

En lo que atañe a las cuestiones formales, la cita puede hacerse a través del discurso referido directo, como ocurre cuando se citan de manera textual las palabras del otro; o de manera indirecta cuando se lo "parafrasea". Parafrasear significa comentar con propias palabras las palabras de otro.

El siguiente ejemplo ilustra la cita directa:

> "*Pero esto es simplemente una descripción del progreso de la investigación, que, cuando se trata del conocimiento de la vida humana, sólo puede andar en espiral, dirigiéndose alternativamente de las partes al todo y del todo a las partes y progresando simultáneamente en el conocimientos de las unas y del otro*". (Lucien Goldmann,1985:131)".

En este caso se cita al autor de manera textual, indicando con comillas cuando comienza y cuando termina la cita (en algunas ocasiones como en este caso puede utilizarse también la cursiva o alguna otra tipografía para diferenciar aún más la parte del texto que corresponde al autor citado). Al finalizar la trascripción textual se indican las referencias. Puede hacérselo, como en esta ocasión, indicando apellido y nombre del autor (generalmente sólo con la inicial), año de edición del libro consultado y página de donde se extrajo la cita.

El siguiente ejemplo corresponde en cambio a una cita parafraseada:

"Mircea Eliade (1979:130) analiza cómo durante el período de desacralización de la existencia humana lo sacro no desaparece, sino que se expresa de muchas maneras como, por ejemplo, en la magia y/o en pequeñas religiones".

En este caso no se citan de manera textual las palabras de Mircea Eliade, sino que se las expresa de acuerdo a las modalidades que introduce el autor en la trama de su texto (seguramente en función del contexto en que se presenta esta cita indirecta). Sin embargo, deja en claro que se trata de una cita porque hace una explícita referencia al autor, a la obra y a la página en la que se encuentra la referencia.

En algunas ocasiones, y con el objetivo de no alterar el hilo argumental del texto, se incluyen "**notas al pie**": estas notas se agregan al final del texto o al pie de la hoja en que se presentan.

Las notas al pie pueden tener diversas funciones:

i. **se puede ampliar una cita textual, a la que sólo se hizo referencia en el texto.**

ii. **indicar la fuente desde la que se extrajo lo dicho en el texto.**

iii. **remitir al lector a otros lugares de la misma obra o escrito, o a otros textos o referencias.**

iv. **ampliar la idea en algún aspecto o sentido que no se integra de manera directa con el texto en el que se incluye la cita.**

## LA ESCRITURA DE MONOGRAFÍAS

### a) Situar la idea y los objetivos del tratamiento del tema

Es importante comenzar situando (en primer lugar para uno mismo) la idea que quiere desarrollarse. Puede hacerse un esquema general que organice esas ideas, incluso antes de comenzar la escritura propiamente dicha. Ese esquema puede contener los siguientes puntos o responder a las siguientes cuestiones:

- ¿cuál es el *tema* que me propongo tratar? (Aunque el tema puede estar sugerido o indicado, siempre es posible abordarlo desde una perspectiva particular y propia). Es deseable que el *tema* nos interese, nos motive, nos despierte algún interés. Seguramente en ese caso estaremos en mejores condiciones para tratarlo, involucrarnos, etc.

Es conveniente también que el tratamiento del tema sea accesible, que dispongamos de información para su tratamiento, etc. Dicho de otro modo, que sea posible investigarlo con los recursos disponibles (existencia de documentos, información, eventualmente informantes, etc.).

- ¿qué preguntas o criterios guían ese tratamiento? :

Se trata de: discutir / comparar / ampliar / revisar

* una misma idea tratada por diversos autores;

* o un mismo autor a lo largo de diversas obras;

* o el desarrollo de una misma idea a lo largo de un cierto período histórico?

- ¿cuáles son las ideas principales y cuáles las secundarias?
- ¿qué vínculos se pueden establecer entre ellas?

Dado que la Monografía tiene una extensión relativamente limitada (entre 5 a 10 páginas), hay que adecuar ese tratamiento al espacio de que disponemos.

## b) El título como organizador

Es conveniente que el título sea breve (de no más de uno o dos renglones) y que esté enfocado en la idea central a desarrollar. Puede ser útil como organizador u orientador del trabajo y debe ser claro para cualquier lector. Si, por ejemplo, se va a desarrollar un trabajo para examinar "la opinión de especialistas en educación musical acerca de la importancia de los estímulos musicales a edades tempranas y el rol que en esa estimulación pueden tener los medios de comunicación", convendrá expresar la idea en dos oraciones cortas, antes que en una sola muy extensa:

> *"Estimulación musical a edades tempranas: el rol de los medios de comunicación. Opinión y debates de los especialistas".*

En algunos casos, el título puede incluir una referencia al tipo de estudio que va a realizarse (descriptivo, comparativo, de revisión bibliográfica, evaluativo, etc.), como en el siguiente caso:

> *"Comparación de los contenidos de género en dos libros de textos escolares del nivel básico".*

## c) Preparación de la bibliografía

Como en todo trabajo científico, es necesario conocer qué han producido y comunicado otros investigadores o comunidades de investigadores. Un mismo tema puede se tratado de modos muy distintos en distintas escuelas o tradiciones teóricas e investigativas. No siempre es posible conocer "todo" lo que se ha producido en un cierto asunto. Pero es necesario hacer un *rastreo* lo más exhaustivo posible. Rastrear significa pesquisar, buscar, indagar. En este caso se trata de bibliografía, es decir, de hacer **búsquedas bibliográficas.**

La bibliografía es la producción escrita que las comunidades de pensadores e investigadores que nos preceden nos legaron para continuar ampliando nuestros horizontes y búsquedas en la comprensión de muy variados asuntos. Es conveniente que la bibliografía consultada se fiche, de modo tal de ir relevando y ordenando la información que será útil para la escritura de la monografía. Ese fichaje debe incluir la referencia al texto o material consultado, su autor, año y ciudad de edición en caso de tratarse de materiales editados. En esas fichas registramos también las ideas nucleares y, si deseamos o nos será necesario para después, las citas o referencias textuales de los autores (indicando número de página).

## d) La elaboración de la monografía y su presentación formal

### i. La primera hoja de la monografía deberá destinarse a la carátula.

En ella se presentan:

• El título del trabajo.

- El o la/s lo/s autor/a o autores/as.
- Fecha y lugar de realización.

Otros datos estarán sujetos a las especificaciones que estipule la instancia para la que se presenta dicho material, por ejemplo:

- Nombre de la materia (o equivalente) para la que se presenta el material.
- Nombre del profesor/es.
- Nombre de la institución o ámbito en el que se presenta.

ii. Seguidamente puede incluirse un **sumario o resumen** del tema desarrollado. Se trata de un breve resumen de los temas que se desarrollan en el trabajo. Su extensión oscila entre 150 y 200 palabras.

iii. Luego la **Introducción,** en la que se presenta el núcleo de las ideas a desarrollar, comentando brevemente el enfoque adoptado, la discusión o revisión que se propone, etc. Puede presentarse a continuación del sumario o en página aparte.

iv. Seguidamente se desarrolla el trabajo, que consiste en la elaboración del núcleo conceptual que organiza la monografía, siguiendo el esquema previsto en la etapa de elaboración. Se sugiere desarrollar cada idea en un párrafo. No es infrecuente que al momento de la redacción se presenten dudas, nuevas preguntas. En ese caso conviene volver a revisar lo planificado e integrar lo nuevo atendiendo al contexto general del trabajo y a las ideas rectoras. Puede desarrollarse en un solo cuerpo o en varios capítulos si el tema o la extensión así lo requieren.

v. **Conclusiones.** Este apartado contiene las conclusiones alcanzadas. Se espera que la conclusión sea una integración que sintetiza reflexivamente el recorrido realizado, indicando los puntos centrales, los nuevos aportes, etc. Puede incluir también la referencia a nuevos asuntos de indagación que se desprenden de ese trabajo, como así también indicar preguntas o cuestiones que quedan abiertas para futuras ampliaciones. Se pueden presentar en hoja aparte, si se prefiere resaltar su independencia del texto central.

vi. Finalmente se incluye el listado de la **Bibliografía.** La bibliografía se presenta generalmente al final del trabajo, generalmente por orden alfabético. Debe incluirse toda la bibliografía citada en el texto. En algunas ocasiones, se usa la referencia numérica. En esos casos, en el texto se incluyen las referencias con números correlativos y luego se indica al final, siguiendo la misma numeración. Las pautas para la escritura de la bibliografía (según sean libros, artículos de revistas, información de Internet, etc.) son las que se indican en el Anexo de citas bibliográficas.

# ESCRITURA DE ARTÍCULOS CIENTÍFICOS

## a) Los contenidos del artículo de informe de investigación

Cada revista establece sus propias normas para la presentación de los trabajos, que suelen incluir:

a) la extensión del trabajo (aunque puede haber muchas variaciones, suelen ser de entre 15 a 25 páginas en tamaño A4 a doble espacio).

b) la tipografía.

c) el idioma del texto y del o los resúmenes.

d) las normas para citar y para presentar las notas al pie.

e) la presentación de gráficos y tablas.

*Congresos exigentes. Para participar de ciertos ámbitos científicos hay que producir artículos sujetos a reglas estrictas de redacción.*

## UN MODELO DE ARTÍCULO

**Primera página:** Los artículos enviados para su publicación deben incluir un encabezado que constará de: el título, seguidamente y dejando un espacio en blanco, el nombre de los autores y luego su afiliación con dirección completa, teléfono, fax y correo electrónico (solo en castellano).

Luego a dos espacios se presentará el resumen y debajo de este, a un espacio, se indicarán las palabras claves en idioma castellano.

A continuación se deberá repetir con el mismo formato el título, abstract y palabras claves en inglés.

**Título:** El título debe reflejar el objetivo principal del trabajo en forma concisa. Se recomienda utilizar un título complementario sólo cuando sea estrictamente necesario. Este se debe escribir en letra Arial 12 en negritas y con la inicial de cada palabra en mayúsculas.

**Resumen:** Este no debe exceder de 150 palabras en la versión en castellano y la cantidad que corresponda en la versión en inglés. Ambas versiones deben reproducir literalmente el mismo texto, solo que estará presentado en distintos idiomas. Este resumen debe presentar de manera precisa el contenido del trabajo, descrito de un modo simple y directo. Debe establecer objetivos y alcance del estudio realizado, describiendo de una manera sintética la metodología; un resumen de resultados y las principales conclusiones. No debe contener información o conclusiones que no estén incluidas en el artículo.

**Palabras claves:** Se deberá incluir de tres a cinco palabras claves que permitan a un potencial usuario identificar el artículo en bases de datos internacionales. Generalmente, aquellas palabras que se eligen como palabras claves también figurarán en el título del artículo o, al menos, en el resumen.

**Contenido del artículo:** luego del encabezado y dejando dos espacios en blanco deberá comenzar el texto del artículo con la introducción. El trabajo deberá estar escrito en forma concisa y coherente, utilizando enunciados cortos y simples en estilo impersonal, evitándose los detalles disponibles en libros, tesis, artículos previos, etc.

**Conclusiones:** Estas se deberán indicar en una sección específica de un modo claro y preciso.

Normas de publicación de la Universidad Tecnológica Nacional.

En lo que respecta a la forma y contenidos de artículos que informan resultados de investigación, los criterios habituales son los siguientes:

- Introducción

- Metodología

- Resultados

- Discusión

- Conclusiones

A través de todos esos apartados el investigador debe exponer el desarrollo de su trabajo: en primer lugar señalar qué se proponía hacer, cómo se desarrolló el trabajo, qué resultados o hallazgos se obtuvieron y finalmente qué aportes ofrece y cómo se relacionan esos aportes con otros estudios o nuevas líneas de investigación.

## i. La Introducción

En la introducción se deberá especificar cuáles han sido los objetivos del estudio, qué problema o problemas los motivan y en qué marco teórico y antecedentes se inscribe.

Este apartado deberá contener entonces:

a) **una definición del problema o problemas que lo motivan. Deberán presentarse de manera clara y precisa. En algunos casos puede existir un problema más amplio, con el que se relaciona el o los problemas particulares que se tratarán en el artículo. En ese caso ambas situaciones deben quedar explicitadas, precisando cuál será el alcance del trabajo. En la fundamentación y encuadre del problema se irá explicitando también el marco de referencia conceptual: por referencia a otros autores, antecedentes, etc.**

b) **Cuando existan, se deben presentar las hipótesis que guiaron la investigación. Deberán ser coherentes con los problemas y también precisas en su formulación. Es importante recordar que las hipótesis son respuestas estudiadas tentativas a los problemas.**

c) **Planteados los problemas y las hipótesis, se pueden presentar los antecedentes que recupera la investigación (otros estudios, otras investigaciones en el mismo tema o temas afines, etc.). Dado que se trata de un artículo, y no de una tesis o tesina, la presentación de antecedentes debe ser breve y concisa.**

d) **En ese contexto se deberá explicitar hasta qué punto lo que ya se sabe no resuelve los problemas o enfoques que adopta la propia investigación. Es decir, se "justifica la elección del tema". Esta justificación se relaciona también con la "relevancia", que puede ser teórica o de transferencia, cuando** se cree que los resultados de la investigación aportarán conocimientos de utilidad para la solución o el tratamiento de cierta problemática social, tecnológica, etc.

e) Finalmente deberán explicitarse los objetivos, en los que se condensan todos los aspectos anteriores. La precisión en los objetivos es muy importante porque los resultados del trabajo y todo el desarrollo de la exposición estará organizada en base a ellos.

## ii. La metodología

Con alguna frecuencia este apartado se presenta bajo el rótulo de "Materiales y métodos". Con el concepto de "materiales" se alude a todo lo vinculado a las "unidades de análisis": su definición y las variables o dimensiones de análisis seleccionadas.

De igual modo, se especifica el tipo de muestra y la población de referencia, como así también el contexto y el momento en que se relevaron los datos. Con el término "métodos", se alude al diseño de la investigación, el modo de obtener las muestras, las definiciones operacionales y los aspectos instrumentales vinculados a ellas. Se incluyen también aquí las técnicas o procedimientos utilizados para el tratamiento y análisis de datos.

Este apartado es de especial relevancia para que resulten transparentes y potencialmente "replicables" los pasos seguidos en la investigación. Eso significa que la comunidad de investigadores (o eventualmente cualquier lector que comprenda el tema) podría reproducir dichos pasos y "probar por sí misma" si se obtienen resultados semejantes a los que informa el artículo.

De cualquier manera, aún cuando el lector no replicara la investigación, la información metodológica le deberá resultar tan clara como si efectivamente fuera a hacerlo. Es por ello importante ser lo más preciso y exacto posible.

Si los procedimientos lo permiten o el contexto de la investigación lo justifica, deberá cuantificarse la información que se brinda. Por ejemplo, la cantidad de casos que se incluyeron en la muestra trabajada o el número de observaciones si se aplicó alguna técnica observacional. No deberá usarse un lenguaje ambiguo (como por ejemplo: "se juntaron *muchos* casos con la característica "x" o "se recorrió la zona *bastantes veces* para extraer las muestras". Si se dice "*muchos*" habrá que explicitar cuántos, si se pretende decir que la zona fue muestreada de manera pertinente, habrá que explicitar cómo se parceló la zona, cómo se seleccionaron las unidades de la muestra, etc.). Si se seleccionan determinado tipo de unidades de análisis, deberán explicitarse todas sus características, por ejemplo, *"estudiantes de tercer año pertenecientes a una escuela de zona urbana de nivel socioeconómico medio"* (en vez de "estudiantes secundarios").

Toda vez que resulte posible, se debe privilegiar el uso de términos técnicos, antes que términos de uso vulgar o común. Si se habla de "trabajadores de una fábrica" convendrá especificar si son *obreros calificados, semicalificados, técnicos, etc.* , si se alude a una cierta especie animal, se deberá privilegiar su nombre científico.

### iii. Los Resultados

Los resultados son el punto al que debe arribar todo el desarrollo anterior, ya que será en base a ellos que se buscará responder a las preguntas de la investigación y/o contrastar las hipótesis.

Es conveniente presentar los resultados con la "mayor objetividad" posible, ya que en los siguientes apartados se debatirá y discutirá su alcance.

Si se trata de investigaciones de tipo *interpretativas*, indudablemente la presentación de los resultados es indisociable de las apreciaciones y análisis que se van haciendo progresivamente en base a ellos. En cambio, en investigaciones más descriptivas o explicativas pueden presentarse los principales resultados –incluyendo tablas, pruebas de significación y tratamientos estadísticos- y dejar para las siguientes secciones la valoración de estos resultados.

Aunque por lo general es uno de los apartados más extensos, hay que recordar que el artículo es una exposición relativamente sintética, de modo que deberá organizarse muy bien su presentación. El investigador deberá privilegiar la información que considera más relevante y presentarla de modo ordenado y coherente con el hilo argumental y el tratamiento que le ha dado a esa información.

Por ejemplo, si en una investigación se entrevistaron a 30 personas, no se espera que en los resultados se presente el total de los discursos de los 30 entrevistados/as. En ese caso, el material habrá sido trabajado según grandes dimensiones o apartados temáticos y al presentar los resultados el investigador podrá *ilustrar* cada uno con algún que otro fragmento emblemático.

Análogamente, si se relevaron 120 horas de observación de "adolescentes en boliches bailables", la presentación de los resultados se hará con algunas viñetas elegidas para ilustrar los principales temas trabajados.

### iv. La Discusión

Por discusión se entiende el examen de los resultados a la luz del marco conceptual, las preguntas de la investigación y sus hipótesis.

En la discusión, el autor/a puede incluir otras perspectivas u otras investigaciones y confrontar sus propios datos con los de otros. Sin embargo, en todos los casos esos comentarios y/o comparaciones deberán hacerse por referencia a sus propios hallazgos. Eso significa que si ha trabajado sobre la *valoración de los jóvenes en relación al consumo de alcohol*, los comentarios y discusiones se apoyarán en los temas tratados en esas entrevistas, aunque se incluyan referencias a otros estudios sobre el mismo asunto (no sería deseable, por ejemplo, que de allí derive consideraciones sobre la "desigualdad entre países pobres y ricos y el impacto que esa desigualdad podría tener en la opinión de los jóvenes", sobre todo si sus datos no le permiten hacer esas inferencias).

## CONCLUSIONES CIBERNÉTICAS

¿Puede el contacto online reemplazar los vínculos afectivos y las relaciones sociales? ¿Genera Internet las condiciones para crear una generación socialmente aislada? Una investigación del Pew Internet and American Life Proyect y sociólogos de la Universidad de Toronto, llegaron a la conclusión que **Internet y el uso del e-mail expanden las relaciones que la gente mantiene en el mundo offline**. Y más aún: la gente no sólo socializa a través de la web, sino que la usa para tomar decisiones importantes, solicitar información valiosa y buscar ayuda cuando la necesita. ¿Había algo de cierto en aquella idea de que Internet, al suprimir la necesidad del contacto cara a cara iba a aislar a las personas? "Era un prejuicio", opina Susana Finquelievich, presidenta de Links. "Quien se aísla con Internet es alguien que tiene tendencia a aislarse y lo hace con Internet, mirando televisión, o de cualquier otra manera. **No es la tecnología lo que determina el aislamiento**". En cambio, para Finquelievich, la web efectivamente enriqueció las posibilidades de contacto y hasta de organización. "Existen foros sociales mundiales que se organizaron gracias a la red, para muchas asambleas barriales que se formaron después de diciembre de 2001 el e-mail fue fundamental, porque permitió mantener el contacto más allá del encuentro semanal. Hay movimientos de vecinos que forman redes de seguridad a través de la web. Los *globalifóbicos* también se organizan por Internet". De acuerdo al informe, la web no sólo no reemplaza el contacto personal o telefónico, sino que lo complementa, y ayuda a mantener el vínculo activo. "En la medida en que hay más contacto entre las personas a través de Internet, más se contactan por teléfono y personalmente", dicen los investigadores. **Quienes mandan mails semanalmente a su grupo de relaciones más cercanas, están un 25 por ciento más en contacto telefónico que quienes no mandan mails**. El contacto cara a cara en la red de vínculos más cercanos no modifica su frecuencia a causa de la web, pero hay una diferencia significativa cuando de conocidos no tan íntimos se trata: quienes mandan mails se encuentran un 50 por ciento más, semanalmente, que aquellos que no mandan correos electrónicos.

Nota aparecida en *Clarín*, septiembre 2003.

***Unidos por la red.*** *Un estudio revela que contrariamente a la idea general, Internet no genera aislamiento y amplía nuestros contactos.*

### v. Las Conclusiones

En las conclusiones el autor/a indica el aporte de su trabajo a los problemas planteados. Deberán ser coherentes con los objetivos y estar apoyadas en los resultados. Se puede presentar una conclusión para cada uno de los objetivos específicos si así se han formulado. Eventualmente puede indicar los asuntos que la investigación deja abiertos y la sugerencia de nuevas líneas de investigación que podrían seguirse a partir de ellos.

### b) La presentación formal del artículo científico

La presentación formal incluye las siguientes secciones:

**i. Título: valen aquí las mismas indicaciones que hemos hecho en relación a los aspectos formales para la escritura de monografías. Interesa tener presente que el título debe ser preciso y especificar lo central del trabajo. También**

conviene que sea atractivo ya que es lo primero que leerán quienes consulten la revista o hagan búsquedas bibliográficas en determinado tema.

ii. **Autor/es:** se indica el nombre y apellido y del autor o autores. Si son varios el orden debe respetar la relevancia en la participación (por ejemplo, si se trata de un equipo, el director/a irá en primer lugar, los investigadores principales luego, seguidamente los investigadores asistentes, etc.). En muchos casos se especifica a qué institución pertenece cada uno.

iii. **Resumen (en los idiomas que la revista especifique):** el resumen permite un acceso rápido a los temas que se tratan en el artículo. Tiene la misma estructura lógica que el artículo, aunque no lleva títulos o subtítulos sino sólo la información imprescindible de cada apartado. Nunca debiera ser un rejuntado de fragmentos del artículo, exige cierta reelaboración y redacción independiente. En algunas ocasiones las redes documentales difunden separadamente los resúmenes, de modo que al igual que el título es el primer acceso al artículo y debe contribuir a su rápida comprensión.

iv. **Palabras claves:** se trata de términos que sintetizan o expresan los asuntos centrales que trata el artículo. Generalmente se indican dos o tres términos claves. Se usan también para la recuperación de la información en los índices de búsquedas bibliográficas.

v. **Introducción:** ya hemos comentado extensamente los contenidos de este apartado. En cuanto a su extensión debe ser breve pero situar los núcleos del trabajo, su encuadre teórico y los problemas, hipótesis y objetivos.

vi. **Materiales y métodos:** nuevamente es importante recordar que la combinación óptima es la mayor precisión con la menor extensión. Se pueden complementar los desarrollos de este apartado con la inclusión de información en anexos (como tablas en las que se indican la conformación de las muestras, indicaciones sobre mapas, gráficos, etc. si así se lo requiere).

vii. **Resultados:** en general es la parte más extensa del artículo. Deben presentarse de modo objetivo y estar claramente relacionados con los apartados anteriores, tanto con los aspectos conceptuales, problemas y objetivos como con la metodología.

viii. **Discusión:** su extensión es variable, dependiendo la profundidad con que se discuten los resultados, los aspectos que se abren y "el diálogo" que se proponga plantear el autor/a con otros textos, autores, etc.

ix. **Conclusiones:** generalmente es un apartado breve y ordenado. Permite "cerrar" el trabajo, integrando el desarrollo a la luz de los resultados y las discusiones.

x. **Anexos:** son agregados optativos, que pueden contribuir a ampliar aspectos metodológicos o eventualmente resultados (como tablas o gráficos).

**xi.Bibliografía:** en sus aspectos formales se mantienen los criterios indicados para la elaboración de una monografía. En un artículo científico es esperable que al menos una parte de la bibliografía sea relativamente actual, de modo de dejar sentado que el autor/a está en tema y ha consultado trabajos recientes.

## CITAS BIBLIOGRÁFICAS

Dado que la escritura científica suele ser fuertemente convencionalizada, existen ciertas normativas que preven el modo en que deben presentarse las citas y referencias bibliográficas para la elaboración de los diversos textos científicos.

A continuación, se informan algunas de estas normativas.

### Citas

La primera vez que se hace la cita deben escribirse todos los autores (si son 5 ó menos). Las siguientes veces se nombran todos si son uno o dos y se pone el apellido del primer autor y *et al.*, si son 3 o más.

Si se citan distintas obras relativas a una idea: (Romero, 1993; Saavedra & Alamos, 1987), se ponen en orden alfabético, considerando el apellido del primer autor. Los autores de distintas obras se separan con punto y coma.

Cuando se cita la obra de una institución, la primera vez que aparece citada debe escribirse completo el nombre de la institución, seguido de la sigla en paréntesis cuadrados (si la tiene) y las siguientes veces que se cite se usa sólo la sigla. Ejemplo:

(Centro de Estudios Públicos [CEP],1995) la primera vez; (CEP, 1995) la segunda y así sucesivamente.

Cuando se citan artículos de revistas o periódicos mensuales, debe ponerse el mes de la publicación después del año, separados por coma: (1993, Junio). Cuando se citan artículos de revistas o periódicos diarios o semanarios, debe ponerse además el día de la publicación: (1993, Junio 28). Si el artículo está en una revista aceptado para publicación, se pone: (Castañedo, en prensa).

Si el artículo se ha enviado a una revista para su publicación, pero aún no ha sido aceptado, se pone: (Castañedo, año del artículo no publicado).

Si el texto está en preparación para ser enviado a una revista o editorial, se pone: (Castañedo, año del artículo en preparación).

Si la obra es un manuscrito no publicado, se pone (Castañedo, año del manuscrito no publicado).

Las comunicaciones personales (cartas, memos, comunicaciones electrónicas, etc.) deben citarse en el texto pero no se incluyen en las Referencias. Ejemplos: El Prof. J. Santibáñez (comunicación personal, 18 Abril, 2001) sugiere que...

# REFERENCIAS

Debe ser confeccionada en estricto orden alfabético, según el apellido de los autores. Si hay más de un texto de un mismo autor, se pone en orden cronológico, desde el más antiguo al más nuevo. Si aparece una obra de un autor y otra del mismo autor pero con otras personas, primero se pone el del autor solo y luego el otro. Ejemplo: Primero Jones, G. (1987) y luego Jones, G. & Coustin, L. (1985).

En el texto impreso (artículo, libro o informe) el título de la obra principal va escrito en letra cursiva, y la referencia completa tiene sangría al margen izquierdo del texto (en la quinta letra desde el margen), desde la segunda línea de la referencia, con el propósito que el apellido del autor quede destacado. Además, el texto queda impreso o escrito con justificación completa. Ejemplo:

Alexander, P. C., Moore, S. & Alexander, E. R. (1991). What is transmitted in the intergeneration transmission of violence? *Journal of Marriage and the Family, 53,* 657-668.

## Algunos ejemplos de referencias

### Libro completo

Se pone el apellido del autor, una coma, un espacio, la inicial o iniciales del nombre seguidas de un punto (espacio entre puntos), espacio, año entre paréntesis, punto, espacio, título del libro (en letra cursiva y sólo con mayúscula la primera letra; excepciones: la primera letra después de dos puntos de un título en inglés, nombres de instrumentos, congresos o seminarios y nombres propios), punto, espacio, ciudad (en caso de USA: ciudad, estado abreviado; ejemplo: Boston, MA), dos puntos, espacio, editorial y punto.

En caso de dos autores se separan por &. En caso de más de dos autores, se separan los nombres con coma y entre el penúltimo y último se pone &. Deben ser nombrados todos los autores.

Si la obra no tiene autor, el título se coloca en el lugar del autor. Para efectos del orden alfabético, la primera palabra importante del título es la que manda (no considerar los artículos).

### Capítulo de libro

El título del capítulo va en letra normal y en primer lugar. Después del punto se pone En, espacio, inicial del nombre de los autores, editores, compiladores, espacio, apellido, coma, entre paréntesis si son editores o compiladores (se abrevia Ed. si es un editor, Eds. si es más de uno, Comp. si es o son compiladores, Trad. si son traductores), espacio, coma, espacio, título del libro (en letra cursiva), espacio, páginas del libro en las que aparece el capítulo entre paréntesis (se abrevia pp. para páginas y p. para una página, separadas por guión cuando es más de una página). Si la editorial es igual a los Eds., Compiladores, o autor se pone al final: ciudad: Autor (es), Compiladores, Editor(es).

### Artículo en Revista

El título del artículo va en letra normal y en primer lugar, espacio, nombre de la revista en letra cursiva, coma en letra cursiva, número de la revista en letra cursiva y números arábigos, coma en letra cursiva, páginas separadas por guión en letra normal y punto. La primera letra de las palabras principales (excepto artículos, preposiciones, conjunciones) del título de la revista es mayúscula.

## Artículo en el periódico o revista de circulación masiva

Se pone el día y mes después del año, separados por una coma, punto, el título del artículo en letra normal, punto, el nombre del periódico o revista en letra cursiva, coma en letra cursiva, espacio, p. y el número de la página. Si son más de una página y son seguidas, se pone pp. A1-A2. Si no son seguidas, se separan por coma. Ej.: pp. A1, A4.

Artaza, J. (1995, Abril 13). Juventud y vocación. *El Mercurio*, p. C1.

Si el artículo no tiene autor, el título reemplaza al autor.

El temor en los niños. (2002, Enero 19). *Las Ultimas Noticias*, p. 14.

Para efectos del orden alfabético, se considera "temor" y no "El".

Si las páginas fueran discontinuadas, se separan con una coma. Ej.: pp. 14, 25.

Si se trata de una carta al editor de un periódico, se pone después del título Carta al editor entre paréntesis cuadrados.

Argentina desde adentro [Carta al editor]. (2002, Enero 19). *Las Ultimas Noticias*, p. 14.

## Libro o informe de alguna institución

La institución no se abrevia ni se usan siglas. Después del nombre de la institución va un punto. Si es un Ministerio, como todos tienen nombres parecidos, primero se pone el país, coma, espacio, nombre del ministerio.

## Medios audiovisuales

Estos pueden ser películas, programas de TV, video o cualquier otro medio audiovisual. En general, se debe señalar al productor o director, o ambos, poner en paréntesis cuadrados el tipo de medio y la ciudad de origen (en el caso de las películas, se pone el país de origen)

## Medios electrónicos en Internet

Si es un artículo que es una copia de una versión impresa en una revista, se utiliza el mismo formato para artículo de revista, poniendo entre paréntesis cuadrados [Versión electrónica] después del título del artículo:

Maller, S. J. (2001). Differential item functioning in the WISC-III: Item parameters for boys and girls in the national standardization sample [Versión electrónica]. *Educational and Psychological Measurement, 61*, 793-817.

Si el artículo en línea pareciera ser algo distinto de la versión impresa en una revista, después de las páginas de la revista, se pone la fecha de la extracción y la dirección:

Hudson, J. L. & Rapee, M. R. (2001). Parent-child interactions and anxiety disorders: An observational study. *Behaviour Research and Theraphy, 39,* 1411-1427. Extraido el 23 Enero, 2002, de http://www.sibuc.puc.cl/sibuc/index.html

Si el artículo aparece sólo en una revista de Internet:

Biglan, A. & Smolkowski, K. (2002, Enero 15). The role of the community psychologist in the 21st century. *Prevention & Treatment, 5,* Artículo2. Extraido el 31 Enero, 2002 de http://journals.apa.org/prevention/volume5/pre0050002a.html

Cuando se trata de un capítulo o sección de un documento de Internet de un sitio Web de una universidad: Se debe identificar la organización y luego la dirección exacta donde se encuentra el documento. En vez de páginas del capítulo leído, se anota el número del capítulo.

Jencks, C. & Phillips, M. (1999). Aptitude or achievement: Why do test scores predict educational attainments and earnings? En S. E. Mayer & P. E. Peterson (Eds.) *Earning and learning: How schools matter* (cap. 2). Extraido el 31 Enero, 2002 del sitio Web de Columbia University: http://www.columbia.edu/cu/lweb/indiv/ets/offsite.html#finding y luego http://brookings.nap.edu/books/0815755295/html/15.html#pagetop

Si es un abstract o resumen obtenido de una fuente secundaria:

Krane, E. & Tannock, R. (2001). WISC-III third factor indexes learning problems but not attention deficit/hyperactivity disorder. *Journal of Attention Disorders, 5*(2), 69-78. Resumen extraido el 31 Enero, 2002, de la base de datos de PsycINFO.

*Adaptado de las instrucciones dadas por la APA (American Psychological Association)*

LA ESCRITURA ES EL MEDIO EN QUE EXISTE LA CIENCIA. EL PROCESO DE INVESTIGACIÓN SE HACE Y SE DESARROLLA APOYADO EN LA ESCRITURA. SUS DIVERSOS GÉNEROS, MONOGRAFÍAS, TESIS, INFORMES, ARTÍCULOS, TRATADOS, ETC, CONSTITUYEN NO SÓLO UN MEDIO PARA HACER CIRCULAR EL CONOCIMIENTO PRODUCIDO, SI NO TAMBIÉN EL MODO EN QUE ESE CONOCIMIENTO SE PRODUCE.

- Aprile, O. C.: *El trabajo final de grado : un compendio en primera aproximación.* Buenos Aires, Centro de Estudios en Diseño y Comunicación, Facultad de Diseño y Comunicación. Universidad de Palermo, 2001.
- Bahena, J. T.: *Técnicas de investigación documental.* México, 1992, McGraw-Hill.
- Eco, U.: *Cómo se hace una tesis : técnicas y procedimientos de estudio, investigación y escritura,* Barcelona, Gedisa, 1993.
- Fragnière, J.: (1995), *Así se escribe una monografía,* Buenos Aires, Fondo de Cultura Económica, 1995.
- Moyano, Inés: *Comunicar Ciencia. El artículo científico y las comunicaciones a congresos,* Buenos Aires, UNLZM, 2000.
- Savino, Jorge: *Cómo se elabora una tesis,* Buenos Aires, Humanitas, 1989.
- Samaja, Juan: *Proceso, diseño y proyecto. Cómo escribir un proyecto sin confundirlo ni con el diseño ni con el proceso,* Buenos Aires, Editorial JVE, 2004.

En el material que sigue se presentan propuestas y ejemplos de aplicación, representativos de los diferentes momentos de la investigación.

### A. Del campo temático al tema de investigación

Una de las mayores dificultades para iniciar un trabajo de investigación es *situar el "Tema"* y derivar de él los problemas que guiarán el trabajo.

El objetivo de este ejercicio es, precisamente, ilustrar la distinción entre las "ideas generales" (a las que podemos llamar "campo temático"), y su transformación en un "tema" de investigación.

Con ese objetivo se presenta, en primer término, un listado de posibles "campos temáticos", para ilustrar luego su transformación en temas más específicos.

Listado de campos temáticos posibles:

[1] **Situación de las comunidades indígenas argentinas: condiciones habitacionales y de salud. Necesidades. Reconocimiento a sus tradiciones y sus derechos.**

[2] **Proyecto de vida de jóvenes y adolescentes. Características y diferencias según grupos específicos sociales, áreas de interés.**

[3] **Modalidades maternas en la interacción con bebés pequeños. Características de la aproximación, atención de los niños, efectos en el desarrollo.**

[4] **Situación de la cultura musical rioplatense. Principales corrientes, y temáticas. Evolución y representantes.**

[5] **Historia argentina: grados de conocimiento de la historia en la población actual, épocas más conocidas, razones por las que se conoce a los personajes que hicieron nuestra historia, etc.**

A continuación se ilustra –a modo de ejemplo- el paso del "campo temático" ("las ideas generales" preliminares) a la identificación de un *tema* de investigación.

Por ejemplo, si de manera general el tema era:

[1] **Situación de las comunidades indígenas argentinos: condiciones habitacionales y de salud. Necesidades. Reconocimiento a sus tradiciones y sus derechos-**

Una especificación (entre otras posibles) podría ser del siguiente tipo:

[1.a.] **Estudio comparativo de las condiciones sociosanitarias de las comunidades tobas en el noreste argentino, en el período pre y postdictatorial (1974/5 y 1983).**

Otra podría dar lugar a una formulación como la siguiente:

> **[1.b.] Evaluación de las necesidades habitacionales y sanitarias según las** *autoperciben* **los pobladores de la comunidad wichi "Bartolomé de la Casas" en la provincia de Formosa.**

Hay que señalar que, dado que las ideas preliminares son muy amplias, existen varios enfoques posibles para especificarlas. Aquí ilustramos sólo dos, pero podrían encontrarse otros.

En ambos casos, como puede observarse, se ha precisado el enfoque mediante:

- a) **la especificación de las comunidades que van a estudiarse (corresponde a las principales unidades de análisis del estudio);**
- b) **los aspectos que serán estudiados de ellas (las variables o dimensiones de análisis),**
- c) **los períodos y/o regiones sobre los que va a trabajarse (delimitación espacial y/o temporal).**

## Ejercicio N° 1:

Se solicita que en base a los ejemplos previos, o a otros que se propongan realizar el ejercicio de especificación en base a la ilustración que hemos desarrollado.

Nota: se pueden sugerir otros campos temáticos, ampliar los propuestos, retrabajar sobre los ejemplos.

### 1) Del tema a la formulación de problemas

Es importante advertir que un mismo asunto puede ser precisado de diversas maneras según cómo se lo interrogue.

La formulación de los problemas puede contribuir a la precisión de los temas.

Tomando como base el ejemplo ya especificado, algunas preguntas que se derivan de él (y que conforman los problemas a tratar) podrían ser las siguientes:

> ¿Qué diferencias se observan en las condiciones habitacionales y de tenencia o reconocimiento territorial de las comunidades tobas en el noroeste argentino, en el período pre y postdictatorial (1974/5 y 1983)?
> ¿Cómo varió la incidencia y/o prevalencia de enfermedades endémicas? ¿Qué diferencias se observan según grupos etarios en cada etapa?
> ¿Qué diferencias se observan en la situación nutricional?

Lo que hemos hecho en este caso es precisar y ampliar la dimensión de análisis que en el tema aparece bajo el rótulo de *"condiciones sociosanitarias"* de la población.

En una investigación pueden plantearse varias preguntas. En algunas ocasiones, se formula una pregunta general (como por ejemplo: *"¿Cómo variaron las condiciones sociosanitarias de..."*) y luego se derivan las preguntas específicas.

Las preguntas deben ser coherentes entre sí y con el tema de la investigación.

Se debe también atender a las cuestiones de *factibilidad y viabilidad*. Eso significa que debe ser posible realizar material y prácticamente una investigación para contestarlas, (en nuestro caso, por ejemplo, deberíamos disponer de la información retroactiva a 1974/6 y a 1983 sobre cada uno de los temas sobre los que nos preguntamos, o en su defecto deberá existir alguna forma confiable para reconstruir esa información).

Aún cuando el tema esté todavía poco especificado la formulación de las preguntas podría hacerse también. Si partimos, por ejemplo, del siguiente campo temático:

**[4] Situación de la cultura musical rioplatense. Principales corrientes y temáticas. Evolución y representantes.**

Algunos interrogantes (que contribuirían a delimitar el tema) podrían ser los siguientes:

¿Cuáles fueron los principales representantes del rock nacional en el ámbito rioplatense?
¿Qué valores se identificaron en las temáticas de sus principales obras musicales?
¿Qué tradiciones musicales, nacionales o internacionales, prevalecieron entre ellos?
¿Qué evolución se observa en la vigencia de esas tradiciones? etc.

## EJERCICIO N° 2:

Se sugiere ensayar en base a otro ejemplo o al que se decida proponer, la derivación de un listado de preguntas de un tema (o de un campo temático).

Una vez hecho conviene revisar:

**-si todas las preguntas son coherentes con un enfoque específico,**

**-si se relacionan entre sí,**

**-si algunas contienen a otras,**

**-si dispone de recursos para abordar esas preguntas,**

**-si es ética y prácticamente posible realizar la investigación que inducen las preguntas.**

## B. La formulación de hipótesis

Al presentar el tema de hipótesis señalamos que no en todos los casos es relevante *formular* las hipótesis.

Ilustraremos en esta ocasión la formulación de hipótesis —sirviéndonos una vez más de los ejemplos que presentamos en las ejercitaciones precedentes.

Comencemos por señalar que puede ser conveniente formular la *hipótesis sustantiva o general* y derivar de ella *hipótesis de trabajo* (una o varias). Así, si en nuestro caso tenemos que el tema era:

*"Estudio comparativo de las condiciones sociosanitarias de las comunidades tobas en el noreste argentino, en el período pre y postdictatorial (1974/5 y 1983)".*

Podríamos postular como hipótesis general (de tipo descriptiva) que:

*"Las condiciones sociosanitarias de las comunidades tobas del noreste argentino, se vieron significativamente deterioradas si se compara su situación previa y posterior a la dictadura (antes de 1976 y posterior a 1983)."*

Algunas hipótesis de trabajo, derivables de esta hipótesis general (y coherentes con las preguntas que hemos formulado) podrían ser las siguientes:

**a.** *Se espera hallar mayor déficit habitacional (medido en unidades habitacionales por habitantes) comparando la situación pre y postdictatorial;*

**b.** *Se espera encontrar un deterioro en las condiciones de reconocimiento territorial (precarización de los reconocimientos jurídicos o pérdida o expropiación de su territorio).*

**c.** *Mayor incidencia y/o prevalencia de enfermedades endémicas en todos los grupos poblacionales.*

**d.** *Mayores tasas de desnutrición infantil y en población adulta y anciana.*

Como se observa las hipótesis de trabajo indican de manera mucho más precisa qué es lo que esperamos encontrar (qué comportamientos, qué situaciones, etc.): éstas son las hipótesis que permitirán una contrastación empírica.

Por ello se formulan teniendo también en cuenta los contenidos de la "matriz de datos": en ellas se preanuncian los tipos de datos que será necesario producir para ponerlas a prueba.

Cuando las investigaciones son exploratorias es más difícil anticipar hipótesis tan específicas, precisamente porque los investigadores no disponen de los criterios suficientes para prever con qué pueden encontrarse.

De cualquier modo, aún en esos casos, es posible a veces formular algunas conjeturas generales, como ocurriría si por ejemplo -en base al ejemplo sobre la cultura del rock rioplantese–, postularamos que:

*"El rock nacional rioplatense surgió emulando a las primeras bandas de rock norteamericanas, pero progresivamente se fue fusionando con elementos que combinaron los ritmos y las temáticas propias de la tradición local (desde el tango al candombe uruguayo)".*

En una hipótesis exploratoria como ésta, podrían incluso proponerse algunas hipóteiss más específicas –del tipo de las *hipótesis de trabajo*–, como las siguientes:

-Se espera encontrar una progresiva transformación en:

*-el idioma en que se interpreta el rock nacional a lo largo de su desarrollo (del predominio del inglés al castellano, con la inclusión de los giros idiomáticos propios de la región–.*

*-la inclusión de temáticas asociadas a los contextos y problemáticas sociales locales,*

*-la presencia de elementos musicales propios de los géneros dominantes en el contexto y la tradición rioplatense.*

## EJERCICIO N° 3:

En base a otros ejemplos, formular las *hipótesis sustantivas y de trabajo*.

Al hacerlo, debe tenerse en cuenta que:

a. Debe haber coherencia entre las hipótesis y las preguntas que orientan la investigación.

b. Deben ser factibles de abordar empíricamente.

c. Debe ser clara su formulación.

d. Deben estar esbozados los componentes de la matriz de datos (al menos «unidades de análisis»; «variables o dimensiones»).

## C. La formulación de propósitos y objetivos

Los objetivos son los productos que esperan obtenerse con la investigación.

Deben distinguirse de los propósitos –por una parte- y de las actividades o tareas –por otra-.

El logro de los objetivos debe estar al servicio de la *contrastación de las hipótesis* y/o de la *respuesta a los problemas de la investigación* (pero en sí mismo no son *ni hipótesis, ni problemas*).

Si nuestro tema era:

> *"Estudio comparativo de las condiciones sociosanitarias de las comunidades tobas en el noreste argentino, en el período pre y postdictatorial (1974/5 y 1983)".*

Y si la hipótesis derivada de él sostenía que:

> *"Las condiciones sociosanitarias de las comunidades tobas del noreste argentino se vieron significativamente deterioradas si se compara su situación previa y posterior a la dictadura (antes de 1976 y posterior a 1983)."*

podrían formularse los siguientes *«propósitos» y «objetivos»*:

Propósito:

> *"Aportar elementos de juicio para orientar acciones que contribuyan a mejorar las condiciones sociosanitarias de las comunidades tobas del noroeste argentino".*

O también podrían ser:

> *"Contribuir a develar los efectos que la política social y económica de la dictadura militar (de 1976 a 1983) causó en las comunidades indígenas argentinas"*

Como se advierte, los propósitos aluden a fines o valores que motivan la investigación.

Para este ejemplo, un **objetivo general** podría plantearse en los siguientes términos:

> *"Determinar los cambios observados en las condiciones sociosanitarias de la población que integra las comunidades indígenas del noreste argentino, entre 1976 y 1983".*

Como **objetivos específicos** se podrían formular los siguientes:

a. Determinar los cambios que se registran a nivel de la cobertura y condiciones habitacionales.

b. Examinar comparativamente la situación jurídica en relación a la tenencia de la tierra y el área de los territorios reconocidos.

c. Estimar y comparar la incidencia y/o prevalencia de enfermedades endémicas en todos los grupos poblacionales.

d. Comparar las tasas de desnutrición infantil y en población adulta y anciana entre ambos períodos.

## Ejercicio N° 4:

En base a otros ejemplos tomados de esta guía o de propia elaboración, formular:

- Los propósitos que fundan o motivan el trabajo.

- Un objetivo general.

- Entre tres y cinco objetivos específicos.

Al hacerlo debe tenerse en cuenta a las siguientes cuestiones:

a. Si los propósitos explicitan los fines o los aportes que motivan esa investigación.

b. La posibilidad de evaluar si el objetivo general se diferencia de los propósitos.

c. Si los objetivos específicos se desprenden del objetivo general.

d. Si los objetivos específicos son coherentes con los problemas y las hipótesis.

e. Si los objetivos específicos son factibles y viables –si pueden alcanzarse en los tiempos usualmente previstos, si los recursos para su cumplimiento son accesibles, si son éticamente viables, etc.

## D. Ejercitando con la "estructura del dato"

Como se dijo al presentar el tema del "lenguaje de datos", todas las investigaciones –con mayor o menor sistematización, con mayor o menor grado de estructuración– trabajan con datos.

En este caso examinaremos qué tipo de datos se deberían producir para algunos de los ejemplos que hemos presentado antes. En cada casp precisaremos los componentes de esos datos, según el modelo de "matriz de datos".

Dado que las hipótesis de trabajo son las que de manera más directa se relacionan con la noción de dato, las reproduciremos aquí para examinar en base a ellas cuáles son los datos implícitos o explícitos que demanda su contrastación.

Pongamos por caso una *hipótesis de trabajo* de nuestra investigación sobre "condiciones sociosanitarias de la población indígena".

> *Se espera encontrar mayor déficit habitacional (medido en unidades habitacionales por núcleos familiares) en toda la población indígena del noreste, comparando la situación previa y postdictatorial ;*

En ese caso, tendríamos:

| | |
|---|---|
| Unidad de análisis: | *núcleos familiares indígenas* |
| Variable: | *cobertura habitacional* |
| Valores de la variable | *adecuada / deficitaria* |
| Indicador: | *unidades habitacionales por núcleos familiares* |
| Procedimientos: | *consulta en base censal o por relevamiento directo* |
| Valores del indicador: | *escala numérica que surge de la relación prevista.* |

En este solo ejemplo, la relación entre *"variable"* e *"indicador"* sería del siguiente tipo:

| Valores del indicador | Valores de la variable |
|---|---|
| *«1» ó «más de 1»* (1 ó más de 1 unidad habitacional por núcleo familiar) | *«condiciones habitacionales adecuadas»* |
| *«Menos de 1»* | *«condiciones habitacionales deficitarias»* |

## Ejercicio N° 5:

En base a otros ejemplos que se hayan desarrollado, identificar los componentes del dato implícitos o explícitos en las hipótesis o problemas.

Al hacerlo debe recordarse que

- **En una misma investigación pueden producirse diversos tipos de datos.**

- **Deben distinguirse con claridad las variables de los indicadores en el caso en que esa distinción se amerite, de lo contrario sólo debe indicarse su operacionalización. Por ejemplo, si la variable es "edad", alcanza con señalar que ella va a medirse por referencia a "años cumplidos" (si efectivamente ese fuera el criterio).**

- **Debe recordarse que en muchos casos "los valores" del indicador y de la variable no están explicitados en las hipótesis de trabajo.**

- **Debe recordarse que en muchas ocasiones no se dispone anticipadamente de los valores de las variables o los indicadores, ya que su obtención puede ser un resultado a producir por la propia investigación.**

## E. Repasando la noción de diseño de investigación

Los siguientes fragmentos tienen la intención de ofrecer la ocasión para identificar tipos de *diseño* de investigación, integrando y aplicando también la noción de *matriz de datos* (y sus componentes).

En algunos casos se formula como problemas preliminares sobre un cierto asunto.

En otros, se explicitan los pasos seguidos y las estrategias utilizadas.

Sólo se pide especial atención a la coherencia entre los componentes que se formulan, y que todas las derivaciones se desprendan de manera más o menos directa del encuadre propuesto.

## EJERCICIO N° 6:

En base al listado de extractos de investigaciones, que se presentan más abajo:

**a. Identificar el tipo de estudio (descriptivo, explicativo o interpretativo).**

**b. Señalar el diseño resultante según combinación de unidades, variables y mediciones temporales.**

**c. Proponer los componentes de una** *matriz de datos***, para cada caso.**

[1] La secretaría de educación de una municipalidad bonaerense quiere conocer cuáles son las condiciones sociales y familiares de los adolescentes que abandonan sus estudios antes de concluirlos. Para ello se propone implementar una encuesta a familias de adolescentes desertores del sistema educativo para conocer cuáles son los principales *motivos de esa deserción*, qué *situación socioeconómica* tienen y cuál es la *valoración de la educación por parte de los padres*.

[2] Un grupo de investigadores está interesado en conocer cuál es el *nivel de consumo de alcohol* entre estudiantes secundarios y de qué manera el *tipo de actividades que realizan* influyen en la intensidad de consumo –parten de la hipótesis de que el consumo de alcohol es mayor entre: a) *los adolescentes que no practican deportes; b) los que concurren de modo habitual a boliches bailables; c) los que concurren de modo habitual a espectáculos futbolísticos.*

[3] Se quiere saber cuáles son los rasgos o características que varones y mujeres porteños (de 14 a 64 años) *valoran como los rasgos más representativos de la "mujer ideal" y del "varón ideal"* (por ejemplo: inteligencia, belleza, lealtad, etc.). Interesa conocer qué diferencias se observan según distintos sub-grupos de *edad* y según *género* (es decir, "mujeres definiendo a mujeres"; "varones definiendo a mujeres", "varones definiendo a varones"; "varones definiendo a varones", etc.) y según *nivel socioeconómico*.

[4] Interesa averiguar cómo se modifican la *actitud ante la violencia* (medida a través de un *test* específico) y la *representación y valoración sobre la "ley" y sobre la "justicia"*, entre un grupo de presidiarios al momento de ingresar a prisión y luego de permanecer en ella 2 y 5 años respectivamente.

[5] Un equipo de investigación se propone investigar el *daño psíquico y neurológico* producido por el consumo de drogas ilícitas entre jóvenes de 19 a 24 años. En particular les interesa averiguar qué tipo de asociación existe entre dicho daño y *tipo de droga consumida, intensidad de consumo, edad de inicio al consumo y actitud ante el consumo*.

[6] En una investigación se quería conocer cómo influye el *tipo de relación docente-alumno* en el *nivel de logro académico*. Para ello se organizaron cuatro grupos de estudiantes secundarios (seleccionados aleatoriamente) y a cada uno se le asignaron profesores que aplicaron distintas modalidades de enseñanza (variando por ejemplo, el tipo de participación que se le daban a los alumnos, la actitud más o menos rígida en la presentación del profesor y su comportamiento, etc.). A todos los grupos se le enseñó la misma asignatura, los mismos contenidos, los cursos transcurrieron en los mismos horarios y se evaluaron con los mismos criterios y contenidos.

Ejemplo de respuesta para el caso [1]:

Una posible respuesta de este ejercicio sería del siguiente tipo:

a. **Tipo de estudio:**     Descriptivo (simple)

b. **Tipo de diseño:**

   i. **Multivariado.**

   ii. **Muestra extensiva.**

   iii. **Transversal.**

Identificación de *matrices de datos*:

a. **Unidades de análisis:**

   i. **adolescentes desertores del sistema escolar.**

b. **Variables (para la unidad: "adolescentes desertores"):**

   i. **situación socioeconómica familiar.**

   ii. **motivos de deserción.**

c. **Indicador (para la variable "situación socioeconómica familiar):**

   i. **ingreso promedio del hogar (a través de consulta directa a padres).**

d. **Valores del indicador y la variable:**

| Variable<br>*"Situación socioeconómica"* | Indicador<br>*"Ingresos monetarios"* |
|---|---|
| Alta | Mayor a 4 canastas básicas |
| Media. | Entre 2 y 4 canastas básicas |
| Baja | Menor o igual a la cobertura de canasta básica (ajustada por miembros) |

## E. El diseño de instrumentos

En esta sección se solicita que en base a alguno de los ejemplos anteriores se proponga la confección de un Instrumento para el relevamiento de datos.

Por ejemplo, un estudio descriptivo con muestras extensivas en ciencias sociales puede requerir la elaboración de una ENCUESTA; un estudio interpretativo con muestras intensivas puede requerir la organización de una ENTREVISTA o una GUÍA DE OBSERVACIÓN.

## EJERCICIO N° 7:

Teniendo en cuenta las indicaciones que hemos dado en el capítulo referido a INSTRUMENTOS se solicita la confección de una ENCUESTA, una GUÍA DE ENTREVISTA o una GUÍA DE OBSERVACIÓN para alguno de los ejemplos ofrecidos en las ejercitaciones precedentes, (o algún otro ejemplo desarrollado personalmente).

Debe tenerse en cuenta que para elaborar el Instrumento deberá estar claro qué se propone investigar, cuáles son los datos que se espera producir, y qué preguntas orientan y fundamentan esa producción de datos.

Hay que recordar también que:

a. **Siempre que el objeto de estudio implique la participación personas, deberán tenerse en cuenta los aspectos éticos involucrados en la investigación.**

b. **Deberá prever la inclusión de una presentación de la investigación, una consigna precisa acerca de los objetivos que se persiguen y el destino de la información que brindará el encuestado o entrevistado.**

c. **Los contenidos del instrumento se deben derivar de la estructura de la matriz de datos.**

d. **No deben incluirse contenidos en el Instrumento (ítems o preguntas) que se refieran a asuntos no previstos en el diseño de las matrices de datos.**

## F. El análisis de datos

Se proponen aquí dos tipos de análisis de datos: por una parte, el análisis de datos cuantitativos, propios de estudios descriptivos, y por otra, el análisis de datos discursivos propios de los estudios interpretativos.

## EJERCICIO N° 8:

Una investigación −entre otras cosas− se proponía averiguar cómo se distribuye la "jefatura femenina" de hogares unipersonales por edad, según la condición de pobreza, (dicho de otro modo: le interesaba saber cuántas de las mujeres que viven solas, y que por lo tanto, son "jefas de hogares unipersonales", corresponden a cada grupo de edad; y qué diferencia se observa en esa distribución por edades cuando estas mujeres tienen ingresos por debajo o por encima de una canasta básica). El resultado del relevamiento de datos produjo el siguiente cuadro:

**Mujeres jefas de hogares unipersonales. Distribución por edad según condición de pobreza. En porcentajes. Total aglomerados urbanos de Argentina, Mayo 2003**

| Edad (años) | Ingresos | |
|---|---|---|
| | Debajo de la canasta básica | Superan la canasta básica |
| <25 | 3,4 | 5,4 |
| 25-49 | 11,9 | 14,1 |
| 50-64 | 28,9 | 18,2 |
| >= 65 | 55,8 | 62,3 |
| Total | 100,0 (60073) | 100,0 (542222) |

*Fuente: En base a Encuesta Permanente de Hogares (INDEC-Argentina).*

El ejercicio consiste en analizar las diferencias observadas entre ambas distribuciones y sacar consecuencias que puedan iluminar las preguntas que motivaron la elaboración de este cuadro.

Otro ejemplo:

En una investigación interesaba averiguar cómo se distribuían las opiniones de los estudiantes secundarios sobre un examen parcial, según fuera su condición de promoción. Dicho de otro modo, interesaba saber si las opiniones se distribuían de modo diferente entre los promocionados que entre los no promocionados (para inferir si la situación de promoción influía en sus apreciaciones sobre el examen).

**Estudiantes de segundo año de una escuela secundaria. Distribución por opinión ante el parcial según condición de promoción. En porcentajes.**

| Opinión sobre el parcial | Condición de promoción de la materia | |
|---|---|---|
| | Promocionó | No promocionó |
| Muy bueno | 57.6% | 13.8% |
| Bueno | 42.4% | 30.7% |
| Regular | 0.0 | 35.7 |
| Malo | 0.0 | 19.8 |
| | 86 100.0% | 72 100.0% |

Nuevamente se trata de evaluar el comportamiento de los datos y determinar si presentan una pauta diferente según se trate de "promocionados" o "no promocionados".

Algunas sugerencias para orientar la lectura de estos cuadros:

**a. Precisar cuál es la variable estudiada.**

**b. En base a qué criterio (= otra variable) se hace la comparación.**

**c. Tener en cuenta que al tratarse de una distribución (es decir, una "frecuencia porcentual"), los datos suman 100% en sentido vertical.**

**d. Observar que en el total de cada columna se incluye junto al valor porcentual (100%) el valor absoluto (la cifra de base); eso permite calcular –si así se lo desea– la frecuencia absoluta de cada casillero.**

Teniendo como base estos ejemplos, se sugiere rastrear otros cuadros estadísticos en noticias periodísticas, sitios de producción estadística o informes de investigación y ensayar una interpretación de ellos, teniendo presente cuáles son los objetivos que motivan la confección de esos cuadros y las sugerencias que hemos indicado aquí.

## Ejercicio Nº 9:

Se propone ensayar el análisis de una obra fílmica.

Se sugiere antes de iniciar una interpretación o análisis de la obra, mirar la película una o varias veces: puede ser de utilidad hacerlo con una Guía de observación a la mano. En ella se pueden ir anotando los elementos que resulten relevantes, teniendo en cuenta los criterios que hemos señalado en el apartado de "Análisis de datos".

Con esos elementos interesa detenerse ahora en el examen de los sentidos que se encuentren en la obra. Si se cree encontrar la interpretación adecuada de la película (es decir "su mensaje") debe ensayarse explicitarlo de manera ordenada –al modo de una hipótesis–.

Luego se debe explicitar qué elementos de la obra misma apoyarían su hipótesis: analizando *escenas y personajes* en que estos elementos aparecen. Qué personajes encarnan qué valores o funciones en el relato.

A modo de ejemplo:

Pongamos por caso que el análisis se refiere a la película *Tiempos modernos de* Charles Chaplin.

Supongamos que se postula como hipótesis interpretativa de la obra que expresa las *problemáticas que suscitó la producción en serie en la moderna sociedad industrial: alineación del trabajador por una parte (convertido en parte de la máquina y la expulsión del consumo de grandes masas de desocupados (por las crisis de la economía), por otra.*

*La película marca un eje de oposición entre mercado (valorado sólo de manera negativa y enajenante, excluyente, etc.) y vínculos amorosos o íntimos (genuinos, desinteresados, etc.): el conflicto se sucede porque tanto si se está fuera como dentro del mundo del trabajo –si se es ocupado o desocupado- el sujeto vive de modo alienado o enajenado la relación con el producto del su trabajo.*

*El único camino superador de esta disyuntiva irresoluble parecer ser el camino del amor –las relaciones amorosas, íntimas devuelven al personaje protagonista una perspectiva, un camino, un horizonte vital.*

Si ésta es una hipótesis interpretativa del film, se deberá luego ilustrar todos aquellas escenas en que, por ejemplo, se muestra la *"relación alienada del trabajador con el objeto de su trabajo"* (escenarios en que se expresa esa idea, personajes que la encarnan, etc.) y, por oposición, aquellas escenas en que se presenta la relación *amorosa, desinteresada, etc.*

Es importante que en el análisis se tenga en cuenta lo siguiente:

a. **Que las primeras observaciones (o lecturas) de la obra deben brindar la ocasión de ensayar las hipótesis interpretativas;**

b. **Que estas hipótesis deben después confirmarse en el análisis detallado.**

c. **Que en ese análisis conviene identificar el núcleo del relato y luego ir ordenando el material de acuerdo a las diferentes intepretaciones.**

d. **Se sugiere trabajar grupalmente y discutir las ideas y su fundamentación en base al material de la obra misma.**

## G. Examinando informes de investigación

Dado que se trata de una ejercitación libre, proponemos en esta sección seleccionar trabajos de investigación que generen interés y examinar en ellos los aspectos metodológicos explícitos o implícitos –pueden ser "artículos científicos", pero también textos de divulgación científica"- (resultados de investigaciones de divulgación). A modo de ejemplo, relevamos el siguiente reporte que divulga ciertos hallazgos de una investigación científica:

**"Si una imagen vale más que 1.000 palabras, quizás un beso también…**
**o al menos para las mujeres".**

Es la conclusión a la que llegó un equipo de investigadores de la casa de estudios State University of New York. Según el estudio, publicado en la revista *Evolutionary Psychology*, los besos le permiten a las féminas evaluar a quien podría convertirse en su compañero sentimental. También mantener la intimidad y evaluar la relación. Para los hombres, por el contrario, no es tan importante, sencillamente se trata de algo que aumenta las probabilidades de un encuentro sexual. Las encuestas que realizaron los expertos, y en las que participaron 1.000 estudiantes, revelaron que los hombres no eran tan exigentes al decidir a quién besaban o con quién tenían relaciones íntimas. Según la investigación ellos están más dispuestos a hacer el amor con alguien a quien no han besado, alguien que besa mal o incluso una persona a la que no encuentran atractiva. Para las mujeres, en cambio, los ósculos son un mecanismo que permite crear lazos afectivos.

Fuente: http://news.bbc.co.uk/hi/spanish/science/newsid_6976000/6976728.stm

En base a este reporte se pide:

a. **Formular las preguntas que podrían haber sido los problemas directrices de este estudio.**

b. **Formular los objetivos derivados de ellas.**

c. **Identificar el tipo de estudio.**

d. **Formular una matriz de datos (derivable de las informaciones que se brindan).**

e. **El tipo de Instrumento que potencialmente se utilizó.**

f. **Identificar nuevas preguntas o asuntos que podrían derivarse de este mismo estudio.**

# ANEXO I

## Cuestiones éticas en la investigación científica

Toda acción (u omisión) que afecte la vida de otras personas –de manera directa o indirecta- nos involucra desde el punto de vista ético.

Adviértase que ético no es lo mismo que moral. Lo moral es un hecho de conciencia, y por lo tanto "interior". Se pueden tener actitudes semejantes, justificadas por principios morales muy distintos; o actitudes distintas, justificadas por idénticos principios morales. En cambio lo ético es un hecho objetivo, se refiere a cuestiones que afectan a otros sujetos y se juzgan por lo tanto según sean los valores, derechos, etc. de los demás que se entiende deben preservarse o respetarse. Por eso no queda a cargo de cada uno determinar qué es ético o antiético: esa valoración corre por cuenta de un contexto institucional.

La palabra "ética" proviene de *ethos* que significa *costumbre*. Son las instituciones (como la familia, la escuela, los estados, las asociaciones profesionales, etc.) las que van consolidando determinadas *costumbres* que definen qué es lo *aceptado, valioso o deseable* para preservar las relaciones y los reconocimientos entre sus miembros.

Lo mismo ocurre con la práctica científica. Dado que afecta de manera directa o indirecta la vida de otras personas, es necesario determinar cuáles son las normas que rigen esa práctica social.

Varias sociedades científicas han formulado incluso códigos de ética que fijan criterios aceptados (y criterios no aceptados) en la práctica investigativa.

Aunque en las ciencias sociales es más evidente que la práctica investigativa tiene consecuencias sobre la vida de otros sujetos, en todas las áreas de las ciencias esas consecuencias son tangibles (se trate de estudios sobre el suelo lunar o la historia romana, pueden estar generándose consecuencias acerca del uso y disponibilidad de ciertos recursos, afectándose intereses o tradiciones en los modos de relatar la historia, etc.).

En lo que respecta a las prácticas de investigación que involucran sujetos humanos, pueden señalarse algunos aspectos que resultan, sin duda, éticamente cuestionables. Entre ellos se cuentan:

i. **implicar a las personas en una investigación sin su conocimiento o sin su consentimiento.**

ii. **obligar a las personas a participar en una experiencia (contra su voluntad).**

iii. **ocultar o tergiversar los verdaderos intereses de la investigación.**

iv. **inducir a los participantes de la investigación a realizar acciones o exponerse a situaciones que pueden atentar contra su autorrespeto, imagen, identidad o dignidad.**

v. **invadir la intimidad de los participantes.**

vi. **maltratar o faltar el respeto a los participantes en la investigación.**

En otras ciencias, aunque no se trata de manera directa con sujetos humanos, se pueden reconocer también aspectos que resultan éticamente condenables:

i. utilizar procedimientos o técnicas que afectan las condiciones del medio ambiente (como contaminantes, destrucción de recursos no renovables, etc.);

ii. utilizar procedimientos o técnicas de investigación que puedan dañar o causar sufrimiento a animales u otras especies vivientes;

iii. traficar u ocultar información relevante para el desarrollo científico con el fin de preservar intereses económicos particulares;

iv. experimentar en temas controvertidos o que no tienen el consentimiento debido, o que pueden atentar contra valores o derechos reconocidos;

De igual modo, podrán encontrarse en todas las ciencias algunos aspectos que atentan contra los principios de la ética científica:

v. manipular información o alterar los resultados para hacerlos coincidentes con las hipótesis esperadas o con intereses asumidos de modo conciente o deliberado,

vi. plagiar o tomar información de otro sin reconocer su autoría,

vii. difundir información considerada confidencial,

viii. traficar, comprar o vender información que pertenece a las instituciones que subsidian o apoyan el proyecto de investigación.

Ya que señalamos "lo éticamente condenable" podemos indicar también algunos de los aspectos ***"éticamente valiosos"*** de la práctica científica. Se trata de una práctica que debería estar apoyada y motivada por:

i. el intercambio y la participación comunitaria (comunidades de investigadores) en la producción de conocimiento;

ii. la adopción de posiciones críticas, reflexivas y motivadas por la potencial revisión de todo conocimiento;

iii. el interés en «el valor y la riqueza de las ideas», independientemente de su marco de origen;

iv. interesada por las tradiciones investigativas, pero al mismo tiempo abierta a la producción creativa en el trabajo investigativo.

v. con vocación universalizadora, pero privilegiando y contribuyendo al desarrollo de las comunidades científicas de su contexto inmediato (locales, nacionales) en la que los investigadores se forman y a las que adeudan su inserción en el mundo de la ciencia.

vi. finalmente, y este es quizá uno de los aspectos más importantes, atenta y sensible al contexto en que se produce: es decir, a la *relevancia social, cultural, económica,* a la que sirve el conocimiento que se produce.

# ANEXO II

## 1) Sitios de INTERNET vinculados a ciencia y tecnología

http://www.secyt.gov.ar/ Secretaría de Ciencia, Tecnología e Innovación Productiva (SeCyT), Argentina. A partir de esta dirección se puede acceder a la pestaña de "NOTICIAS", con distintos artículos, o a la de "Comunicación y Prensa" , a partir de la que se puede navegar por las publicaciones electrónicas.

http://www.ciencytec.com/ Portal español de comunicación y divulgación científica, subvencionado por el Ministerio de Ciencia y Tecnología y por la Fundación española para la Ciencia y la Tecnología.

http://neofronteras.com/ NeoFronteras es un grupo de España de difusión de contenidos de carácter científico y tecnológico. Está dividido por áreas, lo que lo hace muy fácil de navegar.

http://news.bbc.co.uk/hi/spanish/science/default.stm/ BBC Mundo.com. Se trata de un sitio de Ciencia y Tecnología de la BBC de Londres. Ofrece noticias de interés vinculadas a novedades en ciencia y tecnología en español.

## 2) Referencias para buscadores

• **Bielefeld Academic Search Engine**. Motor de búsqueda multidisciplinar de recursos académicos desarrollado por la Biblioteca de la Universidad de Bielefeld en Alemania.

• **Búsqueda Avanzada de Textos**. Recurso de la Biblioteca Virtual Miguel de Cervantes, que permite realizar búsquedas en el texto de las obras digitalizadas de su repertorio. Dispone de opciones de búsqueda avanzada y restricciones de búsqueda por autor, por obra y por fecha.

• **CiteSeer**. Biblioteca digital de literatura científica y motor de búsqueda mantenido por el College of Information Sciences and Technology de la Pennsylvania State University. Orientado a temas de informática.

• **Google Académico**. Buscador especializado de Google orientado a búsquedas bibliográficas. Opción de búsquedas avanzadas por autor, restricción por publicación y por fechas.

• **Google Books**. Búsquedas de texto completo en libros. Según los derechos a los que esté sujeto cada texto, se muestran fragmentos o se permite hojear el libro completo.

• **Google Co-op**. Aplicación de Google que permite configurar un buscador personalizado para acotar las búsquedas a los dominios que se le indiquen. Ver ejemplos en:

• **Google News Archive Search**. Servicio de búsquedas especializado de Google orientado a archivos de prensa. Búsqueda avanzada y restricciones por fecha, publicación o tarifa.

• **Live Search Academic**. Buscador académico de Microsoft. Permite la búsqueda en revistas y publicaciones científicas incluyendo actas de congresos. Opciones de búsqueda por título del artículo, autores y palabras clave en resúmenes. Puede restringir a revistas y actas y ordenar resultados por relevancia o fecha.

• **Scirus**. Motor de búsqueda especializado en ciencias. Cubre literatura científica, noticias, patentes, informes y datos médicos y técnicos. Indexa 300 millones de sitios web científicos. El algoritmo que usa valora la posición y la frecuencia de las palabras buscadas en el texto y los enlaces de entrada hacia la página.

• **Tesauro de la UNESCO**. El Tesauro de la UNESCO es una lista controlada y estructurada de términos para el análisis temático y la búsqueda de documentos y publicaciones en los campos de la educación, cultura, ciencias naturales, ciencias sociales y humanas, comunicación e información.

## 3) Directorios

• **Academic Info**. Directorio temático de recursos educativos mantenido por la Universidad de Phoenix.

• **Biblioteca Virtual WWW**. El más antiguo y reputado de los catálogos temáticos de la Web, puesto en marcha por el propio Tim Berners-Lee en el CERN de Ginebra en 1991.

• **Directory of Open Access Journals**. Directorio de revistas científicas con control editorial mediante revisión por pares que se ofrecen en la modalidad de acceso abierto. Búsqueda por palabras, por títulos y por temas.

• **Electronic Resources**. Catálogo temático de recursos electrónicos organizados por la Biblioteca de la Universidad de California Berkeley. Consulta por temas o por tipo de recurso y búsqueda por palabras, acotada al título o a la descripción del recurso.

• **Infomine**. Biblioteca virtual de recursos en internet mantenida por la Biblioteca de la Universidad de California Riverside. Búsquedas por tipo de recurso, por temas y por palabras.

• **Intute**. Catálogo de recursos en línea para educación e investigación desarrollado por un consorcio de universidades británicas. Búsquedas por palabras y por áreas temáticas (Science and Technology, Arts and Humanities, Social Sciences y Health and Life Sciences).

## 4) Bases de datos

• **Citas Latinoamericanas en Ciencias Sociales y Humanidades**. CLASE es una base de datos bibliográfica creada en 1975 en la Universidad Nacional Autónoma de México. Contiene más de 250 mil registros bibliográficos procedentes de unas 1.500 revistas de América Latina y el Caribe, especializadas en Ciencias Sociales y Humanidades.

• **Hemeroteca Científica en Línea**. Hemeroteca en línea de la Red de Revistas Científicas de América Latina y el Caribe, España y Portugal (Redalyc). Búsqueda por palabras de texto completo y consultas por país, por área del conocimiento y por tema.

• **High Wire Press**. Un servicio de la Biblioteca de la Universidad de Stanford que indexa el contenido de más de un millar de revistas científicas con control editorial por pares. Búsquedas avanzadas y generación de alertas. Contiene un índice que permite la exploración de los recursos en función de sus condiciones de utilización.

• **IMDB**. La Internet Movie Data Base es una amplia base de datos en línea dedicada al cine, la televisión y los videojuegos. Permite búsquedas por títulos, nombres, personajes y por palabras en todas las categorías.

## 5) Archivos y Bibliotecas

• **Biblioteca Nacional de España**. Como biblioteca nacional es el centro responsable de la identificación, preservación, conservación y difusión del patrimonio documental español y aspira a ser un centro de referencia fundamental para la investigación de la cultura hispánica. Es recomendable comenzar la búsqueda seleccionando previamente alguno de los catálogos.

• **Biblioteca Virtual de Prensa Histórica**. Un ambicioso proyecto de digitalización de obras del Ministerio de Cultura por el que se ofrece acceso a publicaciones periódicas editadas desde finales del siglo XVIII.

• **British Library**. La biblioteca nacional británica es una de las más importantes del mundo. En virtud del amplio repertorio de colecciones que gestiona la BL, conviene comenzar la búsqueda por catálogos.

## 6) Direcciones web de bibliotecas

http://www.biblioteca.secyt.gov.ar/ : Biblioteca electrónica de la Secretaría de Ciencia, Tecnología e Innovación Productiva (SeCyT), Argentina.

http://www.bibnal.edu.ar/ Biblioteca Nacional de la República Argentina.

(Dirección Postal: Agüero 2502 -Ciudad Autónoma de Buenos Aires).

http://www.bcnbib.gov.ar/ : Biblioteca del Congreso de la Nación Argentina.

(Dirección Postal: Hipólito Yrigoyen 1750. Ciudad Autónoma de Buenos Aires).

http://www.bnm.me.gov.ar/ : Biblioteca Nacional de Maestros.

(Dirección Postal: Pizzurno 953. Ciudad Autónoma de Buenos Aires).

http://www.blm.laplata.gov.ar/biblioteca.html Biblioteca Municipal "Francisco López Merino".

(Dirección Postal: Calle 49 No 835 e/11 y 12 - La Plata).

http://www.bmayor.unc.edu.ar/ :Biblioteca Mayor Universidad Nacional de Córdoba. (Dirección Postal: Obispo Trejo 242, Primer Piso- Córdoba).

## 7) Otras bibliotecas virtuales y repertorios de materiales educativos libres

• **Academic Commons**. Comunidad académica impulsada por el Center of Inquiry in the Liberal Arts del Wabash College dedicada al desarrollo y la promoción de recursos web abiertos para la enseñanza de las artes liberales.

• **Archivo Institucional EPrints Complutense**. Archivo de documentos de acceso abierto puestos a disposición por los docentes e investigadores de la Universidad Complutense de Madrid.

• **Biblioteca Virtual Iberoamérica**. Cibera es una biblioteca interdisciplinaria para científicos especialistas y estudiantes de cultura, historia, política, economía y sociedad de los países de habla española o portuguesa y también del Caribe.

• **Biblioteca Virtual Miguel de Cervantes**. Acceso al catálogo general de obras digitalizadas. Búsqueda por palabras avanzada y acotada por autores, materias y por títulos.

• **Footnote**. Archivo documental en línea con prestaciones de web social. Permite buscar, alojar y anotar documentos históricos, crear páginas personales, y compartir recursos.

• **OpenCourseWare**. Portal de los cursos del MIT que se ofrecen de forma abierta y gratuita como recurso educativo para estudiantes y profesores de todo el mundo.

• **Open Educational Resources**. Sección del Internet Archive en la que se ofrece un amplio repertorio de materiales didácticos para estudiantes y profesores de todos los niveles, bajo la premisa del acceso universal al conocimiento humano.

• **Project Gutenberg**. Es la más antigua biblioteca virtual de la red. Un vasto proyecto desarrollado por voluntarios orientado a digitalizar, archivar y distribuir libros escaneados cuyos textos estén en el dominio público.

• **World Lecture Hall**. Acceso gratuito en línea a materiales didácticos académicos. Búsqueda avanzada y navegación por categorías temáticas. Mantenido por el Center for Instructional Technologies de la Universidad de Texas en Austin.